iPad
はかどる!
仕事技
2022

JN117281

standards

iPadなら
いつでも
どこでも
効率的かつ
創造的に

すぐに起動し広い画面とパワフルな
処理能力、柔軟な操作性で軽快に
仕事をこなせるiPad。本書では
パソコンともスマホとも異なるiPad
だからこそ実現できる、効率的かつ
創造的でスマートな仕事技を
たっぷり紹介。仕事のスタイルを
劇的に変える1冊になるはずです。

CONTENTS

iPadOS 15徹底解説

SECTION 01

メモと文章作成の仕事技

SECTION 02
文字入力の仕事技

SECTION 03
オフィス文書の仕事技

SECTION 04
PDFのの仕事技

SECTION 08

メール管理の仕事技

SECTION 09

その他の仕事技

ＱＲコードの使い方

アプリを紹介している記事には、QRコードが掲載されています。「カメラ」を起動しQRコードに向け、スキャン完了後に表示されるバナーをタップすれば、App Storeの該当ページが開き、すぐにアプリをインストールできます。

はじめにお読みください

本書掲載の情報は、2021年9月のものであり、各種機能や操作法、表示メニューなどはアップデートにより変更される可能性があります。本書の内容は検証した上で掲載していますが、すべての環境での動作を保証するものではありません。本書掲載の操作によって生じたいかなるトラブル、損失についても著者およびスタンダーズ株式会社は一切の責任を負いません。すべて自己責任でご利用ください。

特集

iPadOS 15 徹底解説

仕事がはかどる
新機能をチェック!

新機能が多数搭載された
iPadOS 15の特徴

今の時代に求められる機能が詰まった最新バージョン

　Appleは、2021年9月21日に新OS「iPadOS 15」を正式リリースした。今回はリモートワークを効率化する機能やユーザー同士のコミュニケーションを充実させる機能などが多数追加されている。特に注目したいのは強化されたウィジェット機能だ。ホーム画面の好きな場所にウィジェットを配置できるようになり、機能性が向上している。また、マルチタスキング機能も進化し、マルチタスキングメニューから直感的にウインドウの操作ができるようになった。本章では、これらの機能も含め、iPadOS 15で仕事に役立ちそうな新機能を中心に解説していこう。

ホーム画面の好きな場所にウィジェットが配置できるように

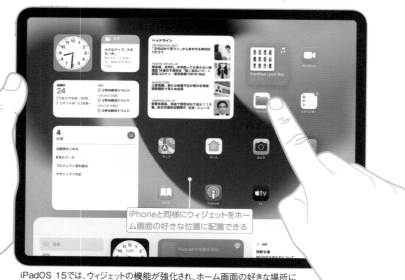

iPhoneと同様にウィジェットをホーム画面の好きな位置に配置できる

iPadOS 15では、ウィジェットの機能が強化され、ホーム画面の好きな場所に配置できるようになった。ホーム画面はアプリを並べるだけの画面ではなくなり、ウィジェットで情報を効率よくチェックするための画面として進化している。

最上部に表示されるマルチタスキングメニューで、簡単に各種ウインドウの操作ができる

マルチタスキングが直感的に使えるようになった

複数のウインドウを同時に表示するマルチタスキング機能も進化。ウインドウ上部にある「…」マークをタップすると、マルチタスキングメニューが表示され、即座にSplit ViewやSlide Overに変更できるようになった。

FaceTimeで誰でもオンライン会議

Apple製デバイスがなくても参加できるのでオンライン会議に誘いやすくなった

FaceTime通話がWindowsやAndroid端末でも参加可能になり、誰でも通話に誘えるようになった。

すぐに呼び出せるクイックメモ

クイックメモでは、テキストや手書き文字、リンクなどを書き込める

アプリ起動中でも画面右下からスワイプすることで、クイックメモを表示できるようになった。

使いこなしヒント

iPadOS 15にアップデートできるiPad対応機種

iPadOS 15にアップデートできる対応機種は右表の通り。一部の古いiPadはアップデートに対応していないので注意しよう。

12.9インチiPad Pro（第5世代）	iPad（第9世代）
11インチiPad Pro（第3世代）	iPad（第8世代）
12.9インチiPad Pro（第4世代）	iPad（第7世代）
11インチiPad Pro（第2世代）	iPad（第6世代）
12.9インチiPad Pro（第3世代）	iPad（第5世代）
11インチiPad Pro（第1世代）	iPad mini（第6世代）
12.9インチiPad Pro（第2世代）	iPad mini（第5世代）
12.9インチiPad Pro（第1世代）	iPad mini 4
10.5インチiPad Pro	iPad Air（第4世代）
9.7インチiPad Pro	iPad Air（第3世代）
	iPad Air 2

新しくなった
ウィジェット機能

ホーム画面でウィジェットが使えるようになった

　iPadOS 15では、ウィジェット機能がより進化している。最も大きな変更点として挙げられるのは、ホーム画面にウィジェットを配置できるようになったことだ。iPhoneではすでに搭載されていた機能だが、ようやくiPadでも使えるようになった。ホーム画面に配置したウィジェットは、アプリと同じように好きな位置やページに移動することが可能。また、スマートスタックもホーム画面に配置できるようになっている。スマートスタックを使えば、複数のウィジェットをフォルダ的にまとめて、素早く切り替えることが可能だ。ちなみに、ホーム画面のレイアウトは、iPadの縦向き、横向きそれぞれの状態が個別に保持されるようになっている。

ホーム画面にウィジェットを自由に配置できる

ウィジェットを
より便利に
使える！

ホーム画面のアプリと同じようにウィジェットの配置を編集できるようになった

ホーム画面の好きな場所にウィジェットが配置できるように。時計やマップ、カレンダーなどのウィジェットを並べて、使いやすくカスタマイズしてみよう。

ホーム画面にウィジェットを配置する

1 | ホーム画面の空白エリアを ロングタップ

タップ

ホーム画面の何もない
ところをロングタップし
て編集モードにする

ウィジェットをホーム画面に追加したい場合は、まず
ホーム画面の何もないところをロングタップしよう。
次に画面左上にある「＋」ボタンをタップする。

2 | 一覧から追加したい ウィジェットをタップする

タップ

ウィジェット一覧が表示される。提案されたウィジェッ
ト一覧もしくは画面左端のアプリ一覧から、ホーム
画面に追加したいウィジェットをタップしよう。

3 | ウイジェットのサイズを 選んで追加する

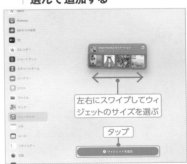

左右にスワイプしてウィ
ジェットのサイズを選ぶ

タップ

ウィジェットによっては数種類の表示サイズや機能
が用意されている。左右にスワイプして好きなもの
を選んだら、「ウィジェットを追加」をタップしよう。

4 | ウィジェットが追加されたら 好きな位置に並べ替えよう

ロングタップ後にド
ラッグして位置を調整

ホーム画面に配置されたら、ドラッグして位置を調
整。ページの端にドラッグすれば、別ページへの移
動も行える。画面右上の「完了」で編集完了だ。

使いこなし
ヒント

ウィジェットの機能を設定する

ウィジェットによっては、配置後に設定が必
要なものがある。天気アプリなら場所の指
定、時計アプリなら都市の指定などを行って
おこう。ウィジェットの設定画面を表示したい
場合は、ウィジェットをロングタップして「ウィ
ジェットを編集」をタップすればいい。

ウィジェットをロングタッ
プ後「ウィジェットを編集」

スマートスタックで複数のウィジェットをホーム画面にまとめる

1 | スマートスタックがホーム画面に配置できるように

複数のウィジェットをまとめるスマートスタック。表示するウィジェットは上下スワイプで切り替えられる

スマートスタックは、同じサイズのウィジェット同士をフォルダのようにまとめられる機能だ。スマートスタック機能は以前から搭載されていたが、iPadOS 15ではホーム画面にも追加できるようになった。

2 | ホーム画面でスマートスタックを作成する

ドラッグしてウィジェット同士を重ねる

スマートスタックを作成するには、ホーム画面の何もないところをロングタップして編集モードに切り替え、ウィジェットを重ね合わせればいい。なお、スタック可能なのは同サイズのウィジェットのみだ。

3 | スマートスタックを編集する

タップ

"メモ"を編集
スタックを編集
ホーム画面を編集
スタックを削除

スマートスタック内の並び順などを変更したい場合は、スマートスタックをロングタップしよう。メニューが表示されるので、「スタックを編集」をタップ。

4 | スタック内の並び順や削除が可能

「+」でスタック内に別のウィジェットを追加できる

並べ替えや削除が可能

スタック内のウィジェットは、ドラッグして並べ替え、「ー」タップで削除が可能。画面左上の「+」ボタンでスタック内に別のウィジェットを追加できる。

使いこなしヒント

スマートスタック内のウィジェットをホーム画面に取り出す

スマートスタックに入っているウィジェットを取り出して、ホーム画面に配置しなおすことも可能だ。スマートスタックをロングタップして「スタックを編集」を選び、スマートスタック内のウィジェットをスタックの外にドラッグ&ドロップすればいい。

ウィジェットをスタックの外にドラッグ&ドロップする

標準メールアプリの新しいウィジェット

1 | メールアプリのウィジェットをホーム画面に追加する

標準メールのウィジェット。タップすればすぐにメールボックスが開く

iPadOS 15では、標準メールアプリのウィジェットが新しく追加されている。これにより、ホーム画面で最新のメール一覧が表示できるようになった。標準では、VIPのメールボックス内容が表示される。

2 | 表示するメールボックスを選択する

表示したいメールボックスを選択する

ウィジェット内で表示するメールボックスを変更するには、メールウィジェットをロングタップして「ウィジェットを編集」をタップ。「メールボックスを選択」で表示したいメールボックスを選択しよう。

従来のウィジェット画面も使うことが可能

1 | ホーム画面の最初のページを右にスワイプする

ホーム画面の最初のページを右にスワイプ

ウィジェット画面

以前から搭載されていたウィジェット画面も同様に使える。ホーム画面の最初のページを右にスワイプして表示してみよう。使用頻度の低いウィジェットはここにまとめて表示しておくといい。

2 | ウィジェット画面を編集する

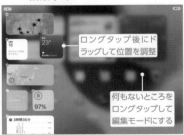

ロングタップ後にドラッグして位置を調整

何もないところをロングタップして編集モードにする

ウィジェット画面の何もないところをロングタップすれば、編集モードに切り替わる。ウィジェットの並び替えや削除、画面左上の「＋」ボタンでウィジェットの追加が可能だ。

使いこなし
ヒント

スマートローテーションのオン／オフが手軽に

スマートローテーションとは、時間帯などに応じて適切なウィジェットに自動で切り替えてくれるスマートスタックの機能だ。iPadOS 15では、ホーム画面のスマートスタックをロングタップ→「スタックを編集」で、表示されるボタンからスマートローテーションのオン／オフが手軽に可能となった。

スマートローテーションの切り替え

さらに進化した
マルチタスキング

マルチタスキングメニューの追加で操作性が大幅に向上

iPadには、複数のアプリを同時に操作できる「マルチタスキング」機能が搭載されている。しかし、従来のiPadOSだと操作が少し特殊で、初心者には扱いにくい部分があった。そこでiPadOS 15では、マルチタスキング関連の操作を全面的に刷新。新しいマルチタスキングメニューが画面上部に表示され、Split ViewやSlide Overといったウインドウ操作がボタン操作で行えるようになった。また、新しいシェルフ表示により、ウインドウの切り替え操作もわかりやすくなっている。

新しいマルチタスキングメニューが表示されるように

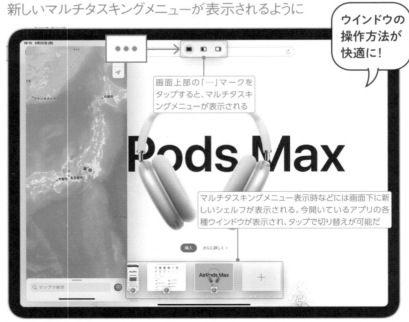

ウインドウの操作方法が快適に！

画面上部の「…」マークをタップすると、マルチタスキングメニューが表示される

マルチタスキングメニュー表示時などには画面下に新しいシェルフが表示される。今開いているアプリの各種ウインドウが表示され、タップで切り替えが可能だ

iPadOS 15では、マルチタスキングメニューからSlide Over、Split Viewなどのウインドウ操作が可能になった。また、画面下に表示される新しいシェルフにより、ウインドウの切り替えも素早く行えるようになっている。

そもそもiPadのマルチタスキング機能とは？

　iPadのマルチタスキングとは、Split ViewやSlide Overなど（以下参照）の各種ウインドウ表示形式を用い、複数のアプリを同時に利用できる機能のこと。この機能を使えば、たとえばメールアプリを開きつつ、ファイルアプリでファイルをドラッグ&ドロップしてメールに添付する、といった操作が簡単に行えるようになる。

► マルチタスキングで利用するウインドウの表示形式

フルスクリーン
全画面で1つのアプリウインドウを表示する形式。アプリを起動すると通常はこの状態になる。

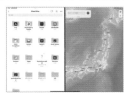

Split View
画面を2分割して、2つのアプリウインドウを同時に表示する形式。分割の比率も変更できる。

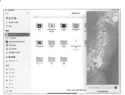

Slide Over
アプリウインドウを縦長のフローティング表示にし、画面の左右端どちらかに表示する形式。

マルチタスキングメニューの表示方法

1 アプリを起動したら画面最上部の「…」をタップ

iPadOS 15から新しく追加されたマルチタスキングメニューを表示してみよう。まずはアプリを起動して、ウインドウ上部にある「…」をタップする。

2 マルチタスキングメニューから操作を選ぼう

するとマルチタスキングメニューが表示される。この3つのボタンを押すことで、そのアプリのウインドウ表示形式を切り替えることが可能だ（以下参照）。

► マルチタスキングメニューの各ボタン

フルスクリーン
現在のウインドウをフルスクリーンにする。すでにフルスクリーン状態であれば変化しない。

Split View
現在のウインドウをSplit Viewにする。フルスクリーン状態でタップしたときは、同時に開くアプリを選べる。

Slide Over
現在のウインドウをSlide Overにする。フルスクリーン状態でタップしたときは、同時に開くアプリを選べる。

Split Viewで2つのアプリを同時に利用する

1 | 1つ目のアプリを起動して Split Viewを実行

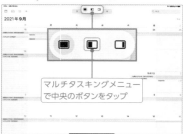

マルチタスキングメニュー
で中央のボタンをタップ

ここでは、Split Viewで2つのアプリを表示する方法を紹介しよう。まずは1つ目のアプリを起動して画面上部にある「…」をタップ。マルチタスキングメニューで中央のボタンをタップしよう。

2 | 2つ目に起動するアプリを ホーム画面でタップ

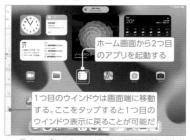

ホーム画面から2つ目
のアプリを起動する

1つ目のウインドウは画面端に移動
する。ここをタップすると1つ目の
ウインドウ表示に戻ることが可能だ

1つ目のアプリのウインドウが一旦画面端に移動し、ホーム画面が表示される。ここから2つ目のアプリを探して起動しよう。Appライブラリを表示してそこからアプリを起動してもOKだ。

3 | Split Viewで2つのアプリが 分割表示された

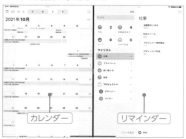

カレンダー   リマインダー

すると画面が左右に分かれて、2つのアプリが別々のウインドウで同時表示される。上の画像はカレンダーとリマインダーを同時表示した例だ。これならスケジュールとタスクを同時にチェックしやすい。

4 | 片方のウインドウを 閉じて別のアプリを開く

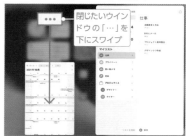

閉じたいウイン
ドウの「…」を
下にスワイプ

片方のウインドウを閉じたいときは、画面上部の「…」を下にスワイプすればいい。すると、手順2と同じようにホーム画面が開く。ここでアプリを再び起動すれば、別のアプリを分割表示できる。

使いこなし
ヒント

Split Viewの分割線を ドラッグして比率を変える

Split Viewで2つのウインドウを表示している際、画面中央には黒い分割線が表示される。これを左右にドラッグすると、画面の比率を3段階で変更可能だ。たとえば、片方のウインドウを大きくして、もう片方を小さくする、といったことができる。

分割線をドラッグして
画面比率を変更可能

Slide Overで別のウインドウにアプリを表示する

1 | 1つ目のアプリを起動して Slide Overを実行

マルチタスキングメニューで右端のボタンをタップ

ここでは、Slide Overで2つのアプリを表示する方法を紹介しよう。まずは1つ目のアプリを起動して画面上部にある「…」をタップ。マルチタスキングメニューで右側のボタンをタップしよう。

2 | 2つ目に起動するアプリを ホーム画面でタップ

1つ目のウインドウは画面端に移動する。ここをタップすると1つ目のウインドウ表示に戻ることが可能だ

ホーム画面から2つ目のアプリを起動する

1つ目のアプリのウインドウが一旦画面端に移動し、ホーム画面が表示される。ここから2つ目のアプリを探して起動しよう。Appライブラリを表示してそこからアプリを起動してもOKだ。

3 | 1つ目のアプリが Slide Overで表示される

メモ　写真

すると、1つ目のウインドウがSlide Overで表示され、2つ目のアプリがフルスクリーン表示になる。上の画像はメモと写真アプリを同時表示した例。写真をドラッグしてメモに貼り付けるのに最適だ。

4 | Slide Over状態の ウインドウを隠す

ウインドウの「…」を画面左右端にフリック

画面端から中央にフリックすると再びSlide Overを表示

Slide Overのウインドウを隠したいときは、画面上部の「…」を画面左右端にフリックしよう。再び画面左右端から中央へフリックすれば、Slide Overのウインドウが表示される。

使いこなしヒント

Split ViewとSlide Overを 素早く切り替えるには?

Slide Over状態のウインドウをSplit Viewに変更したいときは、画面上部の「…」をタップしてマルチタスキングメニュー中央のSplit Viewボタンを押そう。Split ViewからSlide Overへの変更も同様にマルチタスキングメニューから行える。

マルチタスキングメニューから表示形式をすぐに変更可能

Split ViewとSlide Overを組み合わせて使う

1 | Slide Over状態で Split Viewを実行する

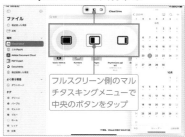

> フルスクリーン側のマルチタスキングメニューで中央のボタンをタップ

Split ViewとSlide Overを同時に使うことも可能だ。まずはSlide Overで2つのアプリを起動し、フルスクリーン側でマルチタスキングメニューを表示する。中央のボタン（Split View）をタップしよう。

2 | 3つのウインドウを 同時に表示できる

> 画面端から中央にフリックしてSlide Overを表示

ホーム画面でアプリをタップし、Split Viewで起動しよう。さらに画面端から中央にフリックすることでSlide Overのウインドウが表示される。これで上画像のように3つのウインドウを表示可能だ。

従来の操作方法でSplit ViewとSlide Overを表示する

1 | アプリを起動して Dockを表示する

> 画面最下部から少しだけ上にスワイプしてDockを表示

従来から搭載されていたマルチタスキング操作も同様に使うことができる。まず、アプリ起動中に画面最下部から少しだけ上にスワイプしよう。すると画面下にDockが表示される。

2 | Dockからアプリを ドラッグ&ドロップする

> Dockからアプリをドラッグ&ドロップする

Dockから好きなアプリをロングタップして上にドラッグする。そのまま指を離せばSlide Over、画面左右端までドラッグして指を離せばSplit Viewでアプリが起動できる。

使いこなしヒント

DockのAppライブラリを活用しよう

従来のマルチタスキング操作では、Dockに表示されているアプリしか呼び出せないという問題があった。しかし、iPadOS 15では、DockにAppライブラリ（P26ページで解説）が搭載されたおかげで、どのアプリでも呼び出せるようになっている。

> Dock右端のAppライブラリから好きなアプリをマルチタスキングできる

Slide Overで表示するアプリを切り替える

過去に表示したことのある
アプリに素早く切り替える

Slide Overのウインドウ最下部にある線を左右にフリック

Slide Over表示のアプリを別のアプリに切り替えたい場合は、Slide Overのウインドウ最下部にある線を左右にフリック。すると、過去にSlide Overで表示したことのあるアプリに切り替えできる。

DockからSlide Overの
ウインドウにドラッグする

DockからSlide Over上にアプリをドラッグ&ドロップ

過去にSlide Overで表示したことのないアプリの場合はDockを表示しよう（前ページ参照）。Dockから好きなアプリをドラッグして、Slide Over上にドロップすれば切り替えが可能だ。

一部の対応アプリではセンターウインドウも利用できる

ウインドウが
画面中央で
表示される

メールアプリでは、メール一覧から項目をロングタップ→「新規ウインドウで開く」を選ぶと、センターウインドウで内容が表示される

メールやメモ、メッセージといった一部アプリでは、画面中央にウインドウを表示する「センターウインドウ」に対応。現在表示されているアプリの画面を維持しつつ、別のウインドウでメールやメモなどを編集したいときに使うと便利だ。

センターウインドウ

マルチタスキングメニューも変化する

センターウインドウのマルチタスキングメニューを表示すると、左画像のように4つのボタンが表示される。ここからSplit ViewとSlide Overに変更したり、センターウインドウに戻したりなどが可能だ。

新しいシェルフでアプリごとのウインドウを管理できるように

新しいシェルフは、アプリの起動時やマルチタスキングメニューを表示したとき、画面下に表示される。iPadは、パソコンのようにひとつのアプリで複数のウインドウを開いて作業できる。この仕組みを理解しておこう

マルチタスキング機能を使っていくと、アプリごとに複数のウインドウがバックグラウンドで開いた状態になる。これらのウインドウをアプリごとにひとまとめで管理できるのが新しいシェルフだ。たとえば、Safariを起動した場合なら、Safariがバックグラウンドで開いているウインドウ（Split ViewやSlide Overの表示も含む）が画面下に一覧表示される。

新しいシェルフの基本的な操作を覚えておこう

1 | ウインドウの切り替えとウインドウの消去方法

タップでウインドウを切り替える

上にスワイプでウインドウ自体を消去

新しいシェルフのウインドウ画像をタップすれば、そのウインドウに表示が切り替わる。また、ウインドウ画像を上にスワイプすれば、そのウインドウを消去することが可能だ。

2 | 新しいウインドウでアプリを起動する

「新規ウインドウ」をタップして新しいウインドウを作成

マルチタスキングメニューを表示したとき、新しいシェルフの右端に「新規ウインドウ」の項目が表示されることがある。これをタップすると、新規のウインドウでアプリを起動することが可能だ。

Appスイッチャーでウインドウ管理やSplit Viewの作成を行う

1 | Appスイッチャーで ウインドウ一覧を表示

画面最下部から上にスワイプ（ホームボタン搭載モデルはホームボタン2回押し）してAppスイッチャーを表示してみよう。ここでは、過去に表示したウインドウも一覧表示される。

2 | Appスイッチャーで Split Viewを作成する

Appスイッチャー画面のウインドウをロングタップして、ドラッグで別のウインドウに重ねるとSplit Viewのウインドウを作成できる。逆にSplit Viewの片方のウインドウをドラッグして解除することもできる。

外付けキーボードのショートカットでマルチタスキングを起動

マルチタスク関連の ショートカットを 表示する

iPadOS 15では、マルチタスク関連の操作を外付けキーボードのショートカットで行えるようになった。ショートカットの内容を知りたい場合は、外付けキーボードの地球儀キーを長押ししてみよう。対応するキーボードショートカットキーが表示される。おもなショートカットは右表の通りだ。

ショートカットで ウインドウ表示を 切り替えできる！

► マルチタスク関連のキーボードショートカット

マルチタスク	
Appスイッチャー	⊕ + ↑
すべてのウインドウを表示	⊕ + ↓
前のApp	⊕ + ←
次のApp	⊕ + →

SplitView	
ウインドウを左側にタイル表示	control + ⊕ + ←
ウインドウを右側にタイル表示	control + ⊕ + →

Slide Over	
Slide Overを表示	⊕ + ¥
左のSlide Overに移動	option + ⊕ + ←
右のSlide Overに移動	option + ⊕ + →

新たに追加された
Appライブラリを利用する
すべてのアプリが自動整理されて探しやすくなる

　　従来のiPadOSでは、アプリをたくさんインストールしていくとホーム画面にアイコンが多数並び、どこに何があるのかがわかりにくくなるという構造的な問題があった。そこで新しく追加されたのが「Appライブラリ」という機能だ。Appライブラリでは、iPadにインストールされているすべてのアプリが自動的に整理され、「最近追加した項目」や「仕事効率化」、「SNS」などのカテゴリに分かれて表示される。目的のアプリを即座に探し出せるので、しっかり使いこなしておこう。

Appライブラリ画面からすべてのアプリにアクセスできる

1 | Dockの右端にある Appライブラリをタップする

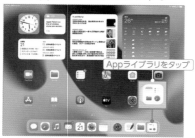

Appライブラリをタップ

Appライブラリを起動するには、ホーム画面の Dock右端にあるアイコンをタップすればいい。または、ホーム画面の最後のページを左にスワイプすることでもAppライブラリの起動が可能だ。

2 | Appライブラリが 起動する

大きいアイコンをタップ すればアプリが起動する

Appライブラリが起動すると、iPad内の全アプリが自動的に整理され、カテゴリごとに表示される。よく使うアプリは大きく表示されるので、この大きいアイコンをタップすればすぐアプリを起動できる。

小さいアイコンをタップすると フォルダが展開する

カテゴリによっては小さいアイコンが表示されることがある。ここをタップすると、そのカテゴリに分類されているすべてのアプリが表示できる。

タップ

タップすればアプリが起動する

Appライブラリの検索機能を使ってみよう

キーワード検索で
アプリを探せる

Appライブラリの画面上部にある検索欄をタップすれば、キーワードでアプリ
を検索可能だ。アプリ名や機能名（メール、ブラウザなど）で検索してみよう。

検索画面では
すべてのアプリが
五十音順に並ぶ

アプリが五十音順に並ぶ

Appライブラリの検索画面を表
示すると、すべてのアプリがアル
ファベット〜五十音順に一覧表
示される。目的のアプリ名がすで
にわかっていて、五十音順の一
覧からアプリを探したいときに使
うと便利だ。

Appライブラリに関連する設定もチェックしておこう

1 │ 新規アプリインストール時に
ホーム画面に追加するかどうか

どちらかを選んでお
く。標準設定は「ホー
ム画面に追加」だ

「設定」→「ホーム画面とDock」で設定できる上画
像の項目では、新規にダウンロードしたアプリを
ホーム画面（およびAppライブラリ）に追加するか、
Appライブラリのみに追加するかを選べる。

2 │ Appライブラリを
Dockに表示するかどうか

「AppライブラリをDock
に表示」をオフにする

Appライブラリを使わないのであれば、DockのApp
ライブラリアイコンを非表示にしておくといい。「設
定」→「ホーム画面とDock」→「Appライブラリを
Dockに表示」をオフにしよう。

使いこなし
ヒント

ホーム画面からアプリのアイコンを削除できる

iPadOS 15では、よく使うアプリはホーム画面にアイコ
ンを配置し、ほかのアプリはホーム画面からアイコンだけ
取り除いて（App本体は残す）、Appライブラリから起動
するという使い方ができる。なお、Appライブラリ内のア
イコンをドラッグし、ホーム画面に追加することも可能だ。

アプリ削除時に、「ホー
ム画面から取り除く」こ
とができるようになった

日本語に対応した
スクリブルで文字入力

Apple Pencilの手書き文字をテキストに自動変換できる

iPadには、Apple Pencilで手書きした文字をテキスト化できる「スクリブル」機能が搭載されている。本機能を使えば、キーボードを使わずApple Pencilだけでテキスト入力したり、一定範囲のテキストをペン操作で削除したりなどが可能だ。文字入力できる場所であれば、メールやメモ、検索欄など、どこでもスクリブル機能が使える。なお、従来は英語と中国語でのみスクリブル機能が利用可能だったが、iPadOS 15ではついに日本語入力にも対応。キーボードの種類を「日本語ローマ字」または「日本語かな」に切り替えてからスクリブル操作をしてみよう。

ペンの操作でテキストの入力や編集が可能

ペンで書いた
文字がテキスト
に自動変換！

Apple Pencilで書いた手書き文字がテキスト化される。手書き文字が入力欄からはみ出しても大丈夫だ

検索欄などにApple Pencilで手書き文字を書き込むと、すぐにテキストに変換される。このスクリブル操作は、テキスト入力できる場所であればどこでも実行可能だ。メモ作成や検索キーワードの入力などで使ってみよう。

メールアプリでスクリブル操作を行ってみよう

1 | 文字入力する場所をタップし 日本語キーボードを選択する

地球儀キーをロングタップして日本語のキーボードを選択

ここでは、メールアプリのメール作成画面でスクリブル入力を試してみよう。まずはキーボードの地球儀キーをロングタップして日本語のキーボードを選択。

2 | Apple Pencilで書いた 文字がテキスト化される

手書きで文字を書く

テキスト化される

Apple Pencilで手書き文字を書けば、テキスト化されてカーソル位置に挿入される。日本語はもちろん、数字やアルファベットでもOKだ。

スクリブルツールバーで アプリの各種操作が可能だ

スクリブルで文字入力を行った直後、画面下の方に「A」と書かれたペンマークが表示されることがある。これをタップするとスクリブルツールバーが表示され、取り消しや改行などのアクションが行える。なお、利用可能なアクションはアプリによって違う。

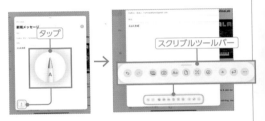

タップ

スクリブルツールバー

メモアプリの場合はスクリブル用のペンを選択して使う

1 | メモアプリではスクリブル用の ペンを選択しておこう

タップ

スクリブル用のペンをタップして選択

ここで日本語を選んでおく

メモアプリでスクリブル操作を行う場合は、メモ作成画面の右上にあるペン型ボタンをタップ。表示されたツール一覧から「A」と書かれたツールを選択する。キーボードの言語も日本語にしておこう。

2 | Apple Pencilで書いた 文字がテキスト化される

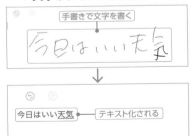

手書きで文字を書く

テキスト化される

Apple Pencilで手書き文字を書けば、テキスト化されてカーソル位置に挿入される。なお、通常の線画を描きたいときは、ツール一覧から他のペンを選択しなおせばいい。

スクリブル操作でテキストを編集する

スクリブル操作では、Apple Pencilだけでテキストの削除や挿入、範囲選択など、基本的な編集作業が行えるようになっている。いちいち指でのタップ操作をしなくても済むので、効率よく文字入力を行うことが可能だ。以下でおもな編集の操作方法を解説しておく。

Apple Pencilでテキスト編集ができる

テキストを削除する

1 | テキストを Apple Pencilでこする

テキストを横や縦方向にこする

スクリブル操作はテキストの削除も可能だ。編集可能なテキストを横や縦方向にこすってみよう。鉛筆でその範囲を雑に塗りつぶすような感覚だ。

2 | こすった範囲の テキストが消える

削除される

すると、灰色で選択されている範囲のテキストが削除される。メモアプリなどの場合は、複数行をこすって一気に削除することも可能だ。

テキストを挿入する

1 | Apple Pencilで挿入箇所を ロングタップする

Apple Pencilでロングタップ

↓

灰色の描画範囲が挿入される

テキストを挿入したい場合は、Apple Pencilで挿入したい場所をロンタップしよう。すると、灰色の描画範囲が一時的に挿入される。

2 | 手書き文字が テキスト化されて挿入される

手書きで文字を書くとテキストに変換され、ロングタップした位置に挿入される。灰色の描画範囲が表示されているうちは続けて挿入が可能だ。

テキストの分離と結合を行う

1 テキスト内に 縦線を入れると分離できる

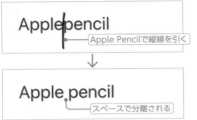

編集可能なテキスト部分にApple Pencilで縦線を引いてみよう。その場所に半角スペースが挿入され、テキストが分離される。

2 スペース部分に縦線を入れると 結合できる

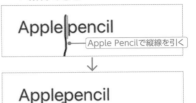

文字と文字の間に入っているスペース部分にApple Pencilで縦線を引いてみよう。スペースが取り除かれ、テキストが結合される。

テキストを範囲選択する

1 テキストを Apple Pencilで囲む

スクリブル操作ではテキストの範囲選択も行える。編集可能なテキストをApple Pencilを用いて円で囲ってみよう。すると、その範囲が選択できる。

2 テキストの上に線を 引いても選択できる

Apple Pencilでテキストの上に線を引いても選択することが可能だ。メモアプリなどで複数行を選択したいときは、こちらの操作の方が選択しやすい。

使いこなし
ヒント

他社製アプリでも スクリブル入力は使える

スクリブル入力に対応している他社製アプリであれば、Apple Pencilによる手書き入力が可能だ。例えば、P154から解説している「PDF Expert」では、PDFへの指示書き込みなどで使うことができる。手書き文字が見やすいテキストに変換されるので便利だ。

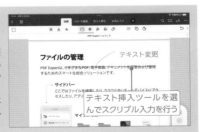

どこからでも呼び出せる
クイックメモ機能

アプリ起動中でもテキストやリンクなどをメモとして残せる

　iPadOS 15では、いつでもどこでも呼び出せてメモを作成できる「クイックメモ」機能が追加された。画面右下からスワイプすると小さなウインドウが表示され、テキストや手書きのメモを書き込んだり、他のアプリから写真やリンクをドラッグ&ドロップして取り込んだりできる。このクイックメモは、ホーム画面や他のアプリの画面など、どんな画面からでもすぐに呼び出すことが可能だ。また、作成したクイックメモはメモアプリの「クイックメモ」フォルダーに分類され、あとから編集も行える。Webページ中のテキストをリンクとともに保存したり、FaceTimeでのビデオ会議中にさっとメモを残したりなど、いろいろなシーンで活用できるので使いこなしてみよう。

画面右下からスワイプしてクイックメモを起動する

思い付いたときにすぐメモできる!

指またはApple Pencilで画面右下からスワイプ

画面右下から画面中央に向かってスワイプすると、クイックメモが表示される。ここでは、テキスト入力やApple Pencilによる描画でメモを作成することが可能だ。

クイックメモウインドウの基本的な操作方法

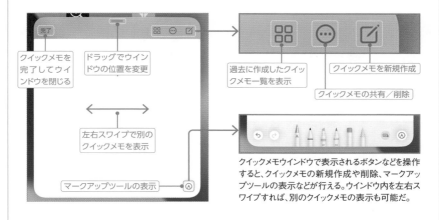

完了	クイックメモを完了してウインドウを閉じる
ドラッグでウインドウの位置を変更	
過去に作成したクイックメモ一覧を表示	
クイックメモを新規作成	
クイックメモの共有/削除	
左右スワイプで別のクイックメモを表示	
マークアップツールの表示	

クイックメモウインドウで表示されるボタンなどを操作すると、クイックメモの新規作成や削除、マークアップツールの表示などが行える。ウインドウ内を左右スワイプすれば、別のクイックメモの表示も可能だ。

テキストや手書きメモを書き込んでみよう

1 クイックメモをタップしてテキストを入力する

クイックメモにテキストを書き込みたいときは、表示したクイックメモ部分をタップ。キーボードが表示されるのでテキストを入力しよう。

2 マークアップツールで手書きのメモも書ける

マークアップツールを表示すれば、手書きの文字や線画なども書き込める。Apple Pencilにも対応しており、スクリブルでの文字入力も可能だ。

ドラッグ&ドロップで他のアプリからコンテンツを挿入できる

クイックメモのウインドウ内には、他のアプリで選択したテキストや写真、リンクなどのコンテンツをドラッグ&ドロップして挿入することができる。ウインドウ内にドラッグ&ドロップしたときに「+」マークが表示されれば、挿入が可能だ。

写真アプリから写真をドラッグ&ドロップ

写真がクイックメモに挿入された

過去に作成したクイックメモをメモアプリで閲覧・編集する

1 | クイックメモから メモアプリを起動する

過去に作成したクイックメモを閲覧または編集したい場合は、クイックメモを表示して、ウインドウ上部にあるボタンをタップしよう。

2 | クイックメモの一覧が 表示される

クイックメモで作成したメモは、メモアプリの「クイックメモ」フォルダに分類される

メモアプリが起動し、「クイックメモ」フォルダーに分類されたメモ一覧が表示される。これらは通常のメモと同じように閲覧や編集が可能だ。

リンクの追加やハイライト機能も使える

1 | Safariで開いている Webページのリンクを追加

「リンクを追加」ボタンをタップ

今Safariで表示しているWebページのリンクを取り込める。このリンクをタップするとSafariでWebページが開く

クイックメモを表示した状態でSafariを起動し、Webページにアクセスしてみよう。クイックメモ上に「リンクを追加」というボタンが表示されるので、タップするとそのページのリンクを取り込める。

2 | 選択したテキストを クイックメモに追加する

新規クイックメモ

テキストを選択してタップ

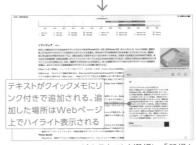

テキストがクイックメモにリンク付きで追加される。追加した場所はWebページ上でハイライト表示される

SafariでWebページのテキストを選択し、「新規クイックメモ」または「クイックメモに追加」をタップ。すると、クイックメモにリンク付きのテキストが追加される。あとでWebページを参照したいときに便利だ。

クイックメモウインドウを一時的に隠す

1 | クイックメモウインドウを 画面端までドラッグする

画面端までウインドウをドラッグ

クイックメモウインドウの上部にある横棒を画面端ま
でドラッグすると、一時的にウインドウを隠すことが
できる。他のアプリと同時に使用しているときに、ク
イックメモのウインドウが邪魔に感じたら使おう。

2 | 画面端の矢印をタップして すぐ再表示できる

タップで再表示できる

クイックメモウインドウを隠すと、画面端に矢印マー
クが表示される。これをタップすればすぐに再表示
が可能だ。なお、クイックメモウインドウを「完了」で
閉じた場合、この矢印マークは表示されない。

マルチタスキングと併用して最大5つのウインドウを表示できる

Safari(Split View)

クイックメモ

マップ(Split View)

動画再生(ピクチャインピクチャ)

Apple TV(Slide Over)

クイックメモに、マルチタスキングやピクチャインピクチャ(動画再生などを小さなウインドウで表示する
機能)を組み合わせれば、最大5つのウインドウを同時に表示することが可能だ。ここまで同時にウイ
ンドウを表示することはほとんどないと思うが、やろうと思えばできてしまう。

メモアプリの新機能を使ってみよう

タグ分類や共有メモのアクティビティ表示機能が搭載

メモアプリにもいくつかの新機能が搭載されている。最も大きな機能はタグとタグブラウザだ。メモ中に「#料理」や「#企画書」などと書き込むと、タグとして自動認識され、タグブラウザでメモを分類表示できるようになっている。従来はフォルダでしかメモを整理できなかったが、今後はタグ機能を組み合わせることで、より柔軟な分類が行えるようになったわけだ。また、複数メンバーで同じメモを共同編集する際に、共同作業者の変更履歴をアクティビティとしてわかりやすく表示できるようになったのもありがたい。「@」で名前を言及する機能も追加され、特定の相手に質問したり、重要な情報を伝えたりなどのコミュニケーションも行えるようになった。

メモにタグを書き込んでタグブラウザで分類できる

> メモにタグを書き込んで分類しよう

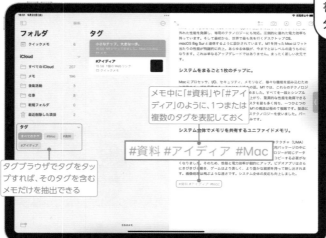

メモ中に「#資料」や「#アイディア」のように、1つまたは複数のタグを表記しておく

#資料 #アイディア #Mac

タグブラウザでタグをタップすれば、そのタグを含むメモだけを抽出できる

メモ中に「#」を使ってタグを書き込んでおけば、タグブラウザで分類が行えるようになった。タグブラウザはフォルダ一覧の下部分に表示される。タグブラウザ内のタグをタップすれば該当するメモだけを抽出可能だ。

共有メモで誰がどこを変更したかがわかりやすく

1 アクティビティを表示して 共有メモの変更履歴を把握

共有ボタンから「すべてのアクティビティを表示」すると、画面右端に共同作業者の変更履歴が表示される

他のユーザーと共同編集している共有メモでは、誰がいつどこを変更したかの履歴（アクティビティ）が一覧表示できるようになった。また、共有メモを右にスワイプすると、変更点をハイライト表示できる。

2 名前の言及機能を使って 相手にメッセージを伝えられる

メモ中に「@」で名前を入れると名前の言及機能が使える

ここの文章を見直してもらえますか？@佐藤あかり

共同作業中に相手にメッセージを伝えたいなら、メモ内にメッセージを書き込み、すぐ後に「@」で相手の名前を入れてみよう。相手側に通知され、アクティビティ表示でも確認できるようになる。

手書きメモと画像の組み合わせが可能になった

1 手書き文字に 画像を重ねてみよう

メモアプリの手書き文字と重ねるように、写真アプリから画像をドラッグ＆ドロップ

その他の新機能としては、手書き文字と画像を組み合わせられるというものがある。手書き文字に対して画像を重ねることで、この機能が使える。

2 手書き文字と画像を 組み合わせてレイアウト

画像の大きさや位置を変更できる

重ねた画像は大きさや位置を自由に変更することが可能だ。ちなみに従来の場合だと、画像内に直接手書き文字を書き込むしかできなかった。

使いこなし
ヒント

日本語の手書き文字も テキスト感覚で扱えるようになった

メモアプリでは、マークアップツールの描画系ペンで書いた手書き文字を、あとから選択したり、テキストとしてコピーしたり、キーワード検索したりなど、テキストと同じように扱える。従来からこの機能は搭載されていたが、iPadOS 15からは日本語手書き文字にも対応。手書きメモをよく使う人にはうれしい機能だ。

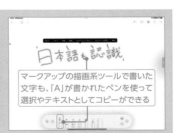

マークアップの描画系ツールで書いた文字も、「A」が書かれたペンを使って選択やテキストとしてコピーができる

強化された FaceTimeを利用しよう

WindowsやAndroidユーザーでも通話に参加できる

　FaceTimeでは、オンラインミーティング用アプリとしても活用できるような機能強化が行われている。従来のFaceTimeでの大きなデメリットは、Apple製デバイス同士でしか通話が行えなかったという点だ。利用プラットフォームが限定されるため、ビジネスシーンでは正直使いづらかったのである。しかし、iPadOS 15からは「FaceTimeリンク」という機能が新搭載。WindowsやAndroidユーザーに招待リンクを送れば、ログイン手続きなしでブラウザから参加してもらえるようになった。

FaceTimeリンクで誰でも通話へ招待できるようになった

1 | FaceTimeを起動して「リンクを作成」をタップ

「リンクを作成」をタップすると、FaceTimeリンクが作成されて招待画面になる

FaceTimeの「リンクを作成」ボタンをタップすると、FaceTimeリンクを作成して他のメンバーを通話に招待できる。FaceTimeリンクでの招待なら、WindowsやAndroidユーザーでも参加が可能だ。

2 | FaceTimeリンクの送信方法と送信先を選ぶ

参加者にメールやメッセージなどでFaceTimeリンクを教えよう

メールやメッセージなどを使って、参加メンバーにFaceTimeリンクを送信しておこう。招待されたメンバーは、送られたリンクからミーティングにすぐ参加できる。Apple IDへのログインも不要だ。

使いこなし
ヒント

「新しいFaceTime」はApple製デバイスのみで通話が可能

「リンクを作成」の隣にある「新しいFaceTime」では、従来のFaceTimeと同じようにApple製デバイス同士での通話が可能だ。FaceTimeリンクとは違い、相手の端末に発信して通話するので、電話感覚で使える。

従来のようにFaceTime通話を発信するならこちらをタップ

FaceTimeリンクを作成してミーティングを行う

1 ホスト側はFaceTimeに表示されたリンクから参加

作成したFaceTimeリンクをタップする

まずは前ページの手順でFaceTimeリンクを作成し、メンバーを招待しておく。ミーティングを開始するなら、画面左のFaceTimeリンクをタップしよう。

2 通話前にミー文字やポートレートなどの設定を行う

ミー文字などの設定

ポートレート

通話に参加するなら「参加」をタップ

通話の待機画面では、ミー文字で自分の顔を隠したり、ポートレートモードで背景をぼかしたりできる。通話の準備ができたら「参加」をタップしよう。

3 招待メンバーの参加を許可しておこう

タップで許可する

メンバー一覧からも許可できる

他の参加者がFaceTimeリンクからアクセスしてきた場合、上のような通知が表示される。緑のマークをタップして参加を許可しよう。通知が消えてしまった場合は、画面左下のパネルをタップして、メンバー一覧から許可すればいい。

4 グループ通話でミーティングを行おう

参加者のカメラ画像

自分のカメラ画像

グループ通話が開始されると上のような画面になる。新しく空間オーディオに対応し、画面上の相手の位置から自然に音声が聞こえるのも特徴だ。FaceTime通話を終了する場合は、「退出」ボタンをタップしよう。

使いこなしヒント

通話したFaceTimeリンクは履歴から再利用ができる

FaceTimeリンクは通話が終了しても残っており、通話履歴から再び参加することが可能だ。後日、同じメンバーで通話をするのであれば履歴を残しておこう。なお、FaceTimeリンクを再利用しないなら、履歴から削除すればいい。FaceTimeリンクを削除すると、招待で送ったリンクからも通話に参加できなくなるので注意。

通話履歴から再参加や削除が可能

招待されたFaceTimeリンクからミーティングに参加する

iPhone／iPadの場合

1 | 受け取ったFaceTime リンクをタップする

招待用のリンクボタンまたはURLをタップする

iPadやiPhoneを使っている場合、他のユーザーからFaceTimeリンクを受け取ったときは、招待用のリンクボタンやURLをタップしよう。

2 | FaceTimeが起動して 通話の待機画面になる

ミー文字やポートレート設定などが済んだら「参加」をタップ

FaceTimeが起動して待機画面になる。通話の準備ができたら「参加」をタップ。すでに参加しているメンバーから許可されれば通話に参加できる。

Android／Windowsの場合

1 | 受け取った リンクをタップする

招待用のリンクボタンまたはURLをタップする

AndroidやWindowsを使っている場合、FaceTimeリンクをメールなどで受け取ったときは、招待用のリンクボタンやURLをタップしてアクセスする。

2 | FaceTimeが ブラウザで起動

名前を入力

WebブラウザでFaceTimeの画面が表示されるので、参加する名前を入力。「続ける」をタップしよう。ログイン不要なので、Apple IDがなくても参加できる。

3 | 通話待機画面で 「参加」をタップ

「参加」をタップして参加。なお、ミー文字やポートレートなどの機能は使えない

通話待機で「参加」ボタンを押せば準備完了。すでに参加しているメンバーから許可されれば通話に参加できる。Windowsの場合はカメラやマイクも別途必要だ。

使いこなしヒント

WebブラウザでFaceTimeができる

AndroidやWindowsでは、Webブラウザを介して通話を行う。そのためApple製デバイスを持っていなくても、FaceTimeに参加することが可能だ。なお、Windows用のWebブラウザは、ChromeまたはEdgeの最新バージョンを使おう。また、ビデオ送信には、H.264ビデオエンコーディングがサポートされている必要がある。

FaceTimeの通話中に覚えておくと便利な新機能

1 グリッド表示に切り替える

グリッド表示の例

グループ通話の参加人数が多くなってきた場合は、画面右上に「グリッド」ボタンが表示される。タップすると、全員の映像や画像をグリッド状に並べて表示することが可能だ。

2 マイクモードを変更する

マイクモードが変更できるようになった

通話中にコントロールセンターを表示し、「マイクモード」をタップ。「声を分離」は、周囲のノイズを抑えて声をクリアに届けられる。「ワイドスペクトル」は、周囲の音楽もそのまま聴かせたいときに選ぶ。

SharePlayでビデオや音楽、画面などを同時再生できる

2021年の秋には実装される予定のSharePlay機能では、FaceTime通話中に映画を一緒に観たり、音楽を一緒に聴いたりできるようになる。Netflixなどのアプリですでに実装されている「ウォッチパーティー」機能と同じようなものだ。また、オンラインミーティングアプリでは必須ともいえる、画面共有機能もiPadで使えるようになるとのこと。

Apple TVやApple Music(その他のアプリも対応予定)などで再生したコンテンツを通話中に全員で楽しめる。画面共有機能も利用できるので、資料を見ながらミーティングしたいときに便利だ

使いこなしヒント

カレンダーでFaceTime通話のイベントを作成できるように

カレンダーの新規イベント作成画面で、「場所またはビデオ通話」欄からFaceTimeを追加できるようになった。カレンダーのイベントをタップして共有ボタンを押せば、FaceTimeリンクを共有したり、通話に参加したりできる。

イベント内容からFaceTimeリンクの共有や参加が可能

iPadOS 15に搭載された その他の注目新機能

iPadOS 15で使いこなしたい新機能をまとめて解説

 集中モード

邪魔な通知や着信をすべてオフにして仕事に集中できる

一時的に通知や着信をオフにできる「おやすみモード」の機能が拡張され、「集中モード」に進化。スケジュールや通知を許可する相手などの条件を設定し、複数のモードを作って切り替え可能になった。作業に集中したいときに使おう。

1 「設定」→「集中モード」を表示する

「+」でモードを新規作成

タップして各モードの設定

まずは「設定」→「集中モード」を表示。初期設定では、「おやすみモード」、「パーソナル」、「仕事」の3つのモードが用意されている。それぞれのモード名をタップして設定画面を表示すれば、各モードのオン／オフや詳細な設定が可能だ。

2 許可する通知やスケジュールなどを設定する

各モードの設定を行う

各モードの詳細設定画面では、モード有効時に通知を許可する連絡先やアプリが設定できる。また、スケジュールやオートメーションを追加することで、特定の時刻や場所、アプリに応じて自動的にモードをオンにすることが可能だ。

コントロールセンターで各モードをオンオフできる

オンにしておく条件も簡易的に設定できる

コントロールセンターを表示し、「集中モード」をタップすれば、各モードのオン／オフが可能だ。また、「…」をタップすると、「1時間」、「明日の朝まで」、「この場所から出発するまで」など、モードをオンにしておく条件を設定できる。

[💬 メッセージ]

共有されたコンテンツを対応アプリ側で見つけやすくなった

メッセージアプリでは、「あなたと共有」機能が追加された。相手から写真や音楽などのコンテンツが送られてきた場合、対応アプリ側ですぐ表示や再生ができる機能だ。また、送られてきた写真の閲覧や保存も快適に行えるようになった。

あなたと共有

1 | 対応アプリで「あなたと共有」セクションを開く

メッセージで共有されたコンテンツ

対応するアプリの「あなたと共有」セクションで表示される

メッセージアプリで自分に送られたコンテンツは、対応するアプリ上の「あなたと共有」セクションに自動的に表示される。たとえば、Apple Musicの曲がメッセージで送られてきた場合は、Apple Musicアプリの「今すぐ聴く」画面にある「あなたと共有」セクションですぐ聴けるようになる。

2 | 「共有元」をタップするとすぐにメッセージを送れる

タップ

写真アプリ内で返信できる

対応アプリで「あなたと共有」セクションで共有されているコンテンツを開くと、「共有元:相手の名前」というボタンが表示される。ここをタップすると、メッセージアプリをいちいち起動しなくても返信が行える。上画像は写真アプリから返信している例だ。

写真のコレクション

左右スワイプで次／前の写真

写真の保存

写真のスタック

スタックをタップしてグリッドボタンでグリッド表示

メッセージアプリでたくさんの写真を送受信した際、スタックされた状態ですっきりと表示される。まとめて写真を見たいときはスタックをタップして、グリッド表示にすることも可能だ。また、写真の保存も簡単に行えるようになった。

通知

通知のデザインが変更され、通知の要約機能も搭載

通知のデザインは、よりわかりやすく変更されている。「時刻指定要約」機能により、重要でない通知を指定時刻にまとめて表示することも可能になった。

1 | 通知のデザインが 新しくなった

通知のデザインが変更され、連絡先の写真が表示されるようになった。アプリのアイコンも従来より大きく表示され、わかりやすくなった。

2 | 指定した時刻に 通知を要約してくれる

「設定」→「通知」→「時刻指定要約」をオンにすると、指定時刻で複数の通知をまとめて表示してくれる。緊急性の少ない通知はこれでチェック可能だ。

[ユニバーサル コントロール]

1つのキーボード、マウス、トラックパッドを使い、MacとiPadの両方をシームレスに操作できるようになる機能だ。

一組のキーボードとマウスで MacとiPadを操作できるように

Macユーザーならば iPadがサブ機としてさらに使いやすくなる。本機能は2021年の秋にリリースされるmacOS Montereyで提供される予定だ。

[翻訳]

iOSではすでに搭載されていた翻訳アプリがiPadにも登場。これにより他のアプリでも翻訳が可能になっている。

Safariやメモアプリなどで 選択したテキストをすぐ翻訳

翻訳アプリ上だけでなく、Safariやメモなどの対応アプリでも翻訳が行えるようになった。テキストを選択して「翻訳」を選べば、すぐに翻訳が表示される。

 Safari

複数のタブをグループ化して切り替えできるように

タブグループ機能が搭載され、複数のタブをグループ化して切り替えて表示できるようになった。また、Safari拡張機能のインストールにも対応している。

1 複数のタブをまとめる タブグループ機能

タブグループを作成するとここから切り替えが可能だ

リンクやタブをロングタップして「タブグループに開く」→「新規タブグループ」でタブグループを作成できる。よく使うWebページをグループ化しておこう。

2 Safari拡張機能が インストールできるように

拡張機能をインストールしてオンにしておく

「設定」→「Safari」→「拡張機能」→「拡張機能を追加」で、Safari拡張機能を探してみよう。広告ブロックやパスワード管理アプリなどが使える。

[メール]

メールのプライバシー保護機能が選べるようになった。自分のIPアドレスなどを相手に知られたくないときは使おう。

メールプライバシー機能が 用意された

プライバシー保護の設定を行う

メールの初回起動時にプライバシー保護の設定が表示されるので好きな方を選択しよう。「設定」→「メール」→「プライバシー保護」でも変更できる。

[外付け キーボード]

外付けキーボード接続時に表示されるメニューバーが小さくなった。タブキーで入力欄やボタンの選択も可能に。

キーボードのメニューバーが 邪魔にならない小さなデザインに

キーボードのメニューバー

外付けキーボード接続時は、画面下に新しいメニューバーが表示される。予測変換候補の選択やキーボードの切り替えなどがここから行える。

写真

メモリー機能が強化され、より自分好みの雰囲気にできる

写真アプリは、「For You」で表示されるメモリー機能が強化された。BGMをApple Musicから選んだり、見た目の色合い変更したりが可能だ。

メモリーの曲や色合いを
カスタマイズできる

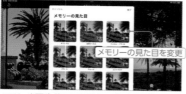

メモリーを再生後に画面をタップし、画面左下のボタンでBGMや見た目（色合い）をカスタマイズできる。写真の雰囲気にあわせて変えてみよう。

使いこなしヒント 一部iPadでは写真内のテキストが認識できる

A12 Bionic以降を搭載したiPadであれば、写真内に映っている文字をテキストとして認識することが可能だ。コピー＆ペーストや検索、翻訳などの機能が使える。現在のところ、英語、中国語、フランス語、イタリア語、ドイツ語、ポルトガル語、スペイン語に対応。

写真中の電話番号なども認識してくれる

Apple ID

万が一のときのために、アカウント復旧用の連絡先や故人アカウントを管理する連絡先が設定できるように。

アカウント復旧用の連絡先を
設定できるようになった

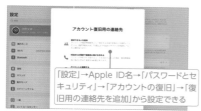

「設定」→「Apple ID名」→「パスワードとセキュリティ」→「アカウントの復旧」→「復旧用の連絡先を追加」から設定できる

家族などの信頼できる人にアカウント復旧用の連絡先となってもらおう。復旧時に手伝ってもらうことで、パスワードリセットなどがより簡単になる。

アクセシビリティ

画面表示とテキストサイズの設定がアプリごとにカスタマイズ可能に。太字や拡大などで見やすくしておこう。

小さい字が読みにくい人には
うれしい機能だ

画面表示やテキストサイズを設定

「設定」→「アクセシビリティ」→「Appごとの設定」でアプリを追加して、アプリごとに太字や拡大などの設定を行えるようになった。

メモと
文章作成
の仕事技

1

Apple Pencilで快適な
手書き環境を手に入れよう
仕事にも使えるiPad用ペン入力デバイス

　iPadは、ペン入力デバイスと組み合わせることで、手書き文字やスケッチ作成を手軽に行える。とはいえ、安価なスタイラスペンを購入すると、ペンの反応が悪かったり、充電方法が面倒だったりなどストレスを感じることが意外と多い。そこでオススメしたいのが、Apple公式のペン入力デバイス「Apple Pencil」だ。iPad向けに作られているだけあって、繊細なタッチにしっかり追随し、描画のレスポンスも非常に良いのが特徴。また、現在最新のApple Pencil（第2世代）では、対応iPadの側面に取り付けるだけでワイヤレス充電が可能となっている点も見逃せない。iPad本体とは別に1万円以上かかるので決して安くはないが、iPadユーザー必携のペン入力デバイスであることは断言できる。「会議の要点を手書きメモで素早く記録し、参加メンバーに共有する」、「文章では伝えづらいイメージをスケッチして取引先にメール送信する」といったビジネスシーンでの活用も、ストレスフリーで行うことが可能だ。

Apple Pencilには2つのモデルが存在する

**Apple Pencil
第1世代**
価格 11,880円（税込）

第2世代
価格 15,950円（税込）

Apple Pencilの現行モデルは、第1世代と第2世代の2つだ。第2世代では、ワイヤレスの充電方法やダブルタップに対応するTouchサーフェスが新搭載されている。

Apple Pencilの
対応機種について
Apple Pencilは、各世代によって対応機種が異なる。第2世代は、2018年以降に発売されたiPad ProとiPad Air（第4世代）でしか使えない。

モデル	対応機種
Apple Pencil 第1世代	iPad（第6、7、8、9世代）／iPad Air（第3世代） iPad mini（第5世代） iPad Pro 9.7、10.5、12.9（第1、2世代）
Apple Pencil 第2世代	iPad Air（第4世代）／iPad Pro 11（第1、2、3世代） iPad Pro 12.9（第3、4、5世代）／iPad mini（第6世代）

Apple Pencilの基本的な機能

筆圧や傾きに対応

Apple Pecilは、ペンでタッチしてから描画されるまでタイムラグが少なく、実際のペンに近い書き心地だ。筆圧によって線の太さを変えたり、ペンの傾きで濃淡を表現したりなどもできる。

ダブルタップでツール切り替え

第2世代のApple Pecilであれば、タップ操作にも対応。ペンを指でダブルタップすると、ツールの切り替えが可能だ。たとえばメモアプリでは、各描画ツールと消しゴムツールの切り替えができる。

音量ボタンがある側面にくっつける。向きはどちらでもよい

ペアリングも充電も簡単にできる！

第2世代のApple Pencilと対応iPadであれば、本体側面にペンをくっつけるだけで、ペアリングとワイヤレス充電が可能だ。

使いこなしヒント

あると便利なApple Pencil用アクセサリ

Apple
Apple Pencilチップ - 4個入り

実売価格 2,420円

Apple Pencilのペン先は使っているうちに削れてしまうので、交換用のペン先があると安心。純正品で用意されている。

エレコム
Apple Pencil カバー 充電アダプタ用 紛失防止 キャップ

実勢価格 686円

Apple Pencil第1世代で紛失しがちな、キャップや純正Lightningアダプタの紛失を防止するシリコン製のアクセサリ。

エレコム
太軸タイプ ペンタブ風 グリップ

実勢価格 880円〜973円

程よい太さと低重心で安定した書き心地を得られる専用グリップ。第1世代、第2世代それぞれの対応製品がある。

ノートアプリの正しく賢い選び方

用途に合わせて自分にぴったりのアプリを使おう

　iPadを仕事で活用するのに欠かせないのがノートアプリだ。標準メモ以外にも、便利で使いやすいノートアプリは多いので、ここではタイプの異なる人気ノートアプリをいくつか紹介する。ノーアプリを選ぶ際は、大きく3つのポイントに注目しよう。まずひとつ目は、作成したノートを自分だけで使うか、他のユーザーと共有したり共同編集するか。次にiPadやAppleデバイスだけで使うか、パソコンやAndroidスマホでも使うか。最後に手書きでサッとメモするか、テキストで長文入力するか。この3つの条件から絞り込んだ上で、書き心地やノート管理のしやすさ、レイアウトの自由度、独自機能など細かな使い勝手をチェックしていけば、ベストなノートが見つかるだろう。もちろん必要に応じて使い分けてもいい。

使いやすいノートアプリを選ぶ3つのポイント

1 | 他のユーザーと共有するかどうか

ノートを自分だけで使うなら、使い勝手が好みのアプリを選べばよい。他のユーザーと共有したり共同編集するのが前提なら、クラウド上で利用できる「Googleドキュメント」や「OneNote」がおすすめめ。

2 | ノートを利用するプラットフォームは?

「標準メモ」や「GoodNotes 5」を始めとして、iPad向けアプリの方がApple Pencilに最適化されており使い勝手も機能も優秀なものが多い。Androidやパソコンでも使うなら「Googleドキュメント」や「OneNote」が有力な候補。

3 | 手書きへの対応も重要ポイント

iPadでサッとメモするには手書きできるかも重要なポイント。特に「GoodNotes 5」は手書きに特化して使いやすいが、長文を書くならテキスト入力機能が充実した「Bear」や「Googleドキュメント」のほうが快適だ。

本書で紹介しているおもなノートアプリの特徴

標準メモアプリ

→P52

iPad標準のメモアプリ。思いついたアイデアを気軽にサッとメモできる即応性の高さは他のアプリにない快適さ。Apple Pencilとの組み合わせで使えるさまざまな機能も便利だ。一応Webブラウザ上で使えるが、基本はiPadだけでメモが完結する人向け。

対応端末
iOS／iPadOS／macOS／
Windows／Android

手書き対応
○

※WindowsとAndroidでは、WebブラウザでiCloud.comにアクセスして利用

GoodNotes 5

→P56

手書きでノートを作成したいなら、とりあえずこのアプリをインストールしておけばよい。紙のノートに書く感覚で、アイデアや要点を素早くまとめられる。ペンツールの書き心地や、操作性の良さ、見やすさ、ノートの管理のしやすさがトップクラス。

対応端末
iOS／iPadOS
macOS

手書き対応
○

Google ドキュメント

→P60

Googleアカウントがあれば無料で使えるノートアプリ。手書きには対応していないので、テキスト中心でメモやビジネス文書を作りたい人向け。WebブラウザやAndroidスマホなど環境を選ばず使えて、他のユーザーと共同編集しやすいのも特徴だ。

対応端末
iOS／iPadOS／macOS／
Windows／Android

手書き対応
×

Microsoft OneNote

→P62

Microsoftアカウントがあれば無料で使えるノートアプリ。Googleドキュメントと同様にクラウドベースのアプリなので、環境を選ばず使えて、他のユーザーと共同編集しやすい。また手書きにも対応するほか、音声やファイルなどさまざまなデータを扱える。

対応端末
iOS／iPadOS／macOS／
Windows／Android

手書き対応
○

Notability

→P66

このアプリは少し特殊で、録音データと入力メモが連動するという他にはない特徴的な機能を備えており、会議や授業の記録に最高の威力を発揮する。他のアプリにはない機能なので、メインで使うノートアプリとは別にインストールしておくのがおすすめ。

対応端末
iOS／iPadOS

手書き対応
○

Bear

→P68

シンプルで見やすいテキストエディタが欲しいならこれ。手書き入力にも対応するが、基本はMarkdown記法を駆使して、テキストのみで長文入力する使い方に向いている。ブログやレポートの作成に最適だ。ただしiCloudで同期するには150円／月の課金が必要。

対応端末
iOS／iPadOS
macOS

手書き対応
○

進化した標準メモアプリに アイデアを書き留めよう

iPadならではの機能を使って手軽にメモを作成できる

　iPadで気軽にメモを取れるという点では、OSレベルで連携する標準の「メモ」アプリに勝るものはない。テキストも手書きも混在して入力でき、iCloudでiPhoneやMacとの同期が可能で、画像や表の挿入も自在。さらにクイックメモ（P32で解説）機能でより素早くメモできるようになったほか、手書き文字の検索や、手書き文字をテキストに自動変換するスクリブル機能、手書き文字を選択してテキストとしてコピーできるスマートセレクション機能なども日本語に対応している。iPad＋Apple Pencilの組み合わせで使ってこそ真価を発揮するアプリだ。ただ、WindowsやAndroidスマホでメモを編集するにはWebブラウザでiCloud.comにアクセスする必要があり、他のユーザーと共同編集するにもApple IDが必要で、Appleデバイス以外での使い勝手はあまり良くない。メモアプリで作成したメモは、Appleデバイスで自分のみ利用するのが前提と割り切ろう。

標準アプリなのでiPadとの相性は抜群

iPadだけでメモするなら最適

iPad＋Apple Pencilの組み合わせで使う標準メモアプリは、有料アプリ並みと言っていいほど優秀。Appleデバイスのユーザーとならデータの共有もスムーズだが、他のプラットフォームでは使い勝手がよくない。なお、iPadOS 15で共同作業を快適に行うための新機能も搭載された（P36で解説）。

文字を入力して書式設定を行う

1 | 新規メモを作成して 文字を入力する

新規メモを作成する場合は、画面右上のボタンを
タップ。空白のメモが作成されるので、画面をタップ
してテキストを入力していこう。

2 | テキストを選択して 書式設定を行う

一部の文字を大きくしたいときや行揃えを変更した
いときは、変更したい部分を選択。キーボード右上
の書式設定ボタンから設定を行おう。

画像や表を挿入する

1 | メモに画像を 挿入する

メモに画像を挿入したい場合は、右上のカメラボタ
ンをタップ。「写真またはビデオを選択」からiPad内
の写真を選択し、「追加」で挿入が可能だ。

2 | メモに表を 挿入する

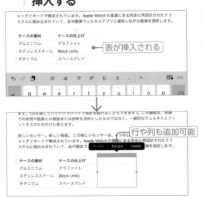

キーボード右上の表ボタンをタップすると表が追加
される。各セル内に値を入力していこう。表の「…」
をタップすれば、行や列を追加することが可能だ。

マークアップ機能で手書きメモを記入する

1 手書きメモを記入する

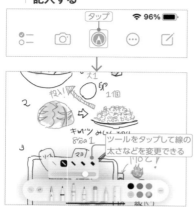

手書きメモを記入したい場合は、マークアップボタンをタップし、各種ツールで描画していこう。Apple Pencilであれば、空白部分で描画すれば、ボタンを押さなくてもそのまま描くことができる。

2 手書きメモなどをキーワード検索する

サイドメニュー上部の検索欄でメモをキーワード検索できる。テキストの他にも、手書き文字、写真の内容、スキャンした書類内のテキストなどがすべて検索対象となる。

3 手書き文字をテキストのように選択できる

手書き文字をロングタップすると、テキストのように範囲選択できる。ドラッグして配置を変更したり、コピーペーストしたり、選択した手書き文字をテキストとしてコピーし貼り付けることも可能だ。

4 手書き文字をスクリブル機能でテキスト変換する

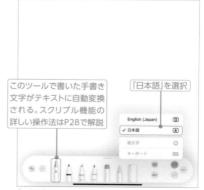

「A」と表示されたペンで手書き文字を入力すると、自動でテキストに変換される。日本語がうまく変換されない場合は、マークアップツール内のキーボードボタンをタップして「日本語」を選択。

書類をスキャンしてメモに挿入する

1 │ カメラボタンから 書類をスキャンする

iPadのカメラを使って、書類をメモ内に取り込むことが可能だ。まずは、カメラボタンをタップして「書類をスキャン」をタップ。

2 │ 書類をカメラで 撮影する

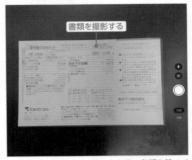

カメラが起動するので、机の上などに書類を載せて画面内に収まるようにしよう。黄色いフレームが表示され、自動的に書類が撮影される。

Apple Pencilでロック画面をタッチする

一瞬で手書きメモを利用できる!

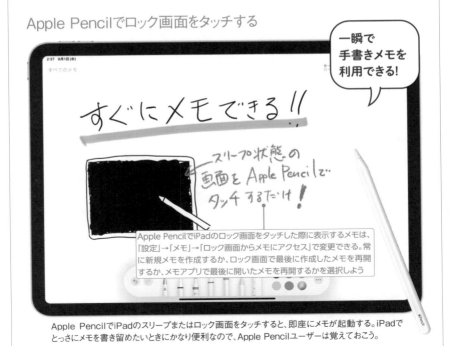

Apple PencilでiPadのロック画面をタッチした際に表示するメモは、「設定」→「メモ」→「ロック画面からメモにアクセス」で変更できる。常に新規メモを作成するか、ロック画面で最後に作成したメモを再開するか、メモアプリで最後に開いたメモを再開するかを選択しよう

Apple PencilでiPadのスリープまたはロック画面をタッチすると、即座にメモが起動する。iPadでとっさにメモを書き留めたいときにかなり便利なので、Apple Pencilユーザーは覚えておこう。

最強の手書きメモ環境を実現する GoodNotes 5を使ってみよう

手書きに特化した人気のノートアプリ

　iPadでも紙のノートに書く感覚でメモを取りたい人におすすめなのが、手書きに特化したノートアプリ「GoodNotes 5」だ。手書き入力での書き心地が良く、ペンの太さやカラーも直感的に変更できるほか、フォルダで階層化してノートを管理できる点も使いやすい。ストローク単位や蛍光ペンのみを消去できる消しゴムツールや、文字を囲んで移動できるなげなわツールなど、細かな操作性も優秀。さらに、手書き文字をキーワード検索したり、iCloud同期以外にDropboxやGoogleドライブ、OneDriveに自動バックアップする機能もある。考えをまとめる時に、とりあえずざっと書き出して整理したい人に向いたアプリだ。なお、テキスト入力も可能でスクリブル機能にも対応しているが、手書きに比べると機能的に弱い。共同編集機能も用意されているが、Android版アプリがないので幅広いユーザーとの作業には向いていない。

直感的に使える手書きノートアプリ

> 自分用の手書きメモを
> 作成するならベスト!

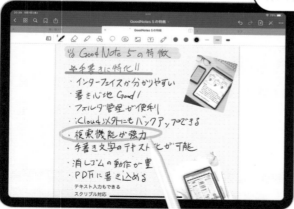

GoodNotes 5
作者 Time Base
Technology Limited
価格 980円

紙のノートに書くのと同じ感覚で使える。会議内容をレジュメにまとめたり、プレゼンのアイデアを書き出して整理するなど、自分用の手書きノートを作成するのに向いている。

同期・バックアップ設定とフォルダの作成

1 | 同期とバックアップ設定を済ませる

右上の歯車ボタンをタップし「設定」をタップ。「iCloud設定」でiCloud同期を有効にできる。また「自動バックアップ」をタップすると、DropboxやGoogleドライブ、OneDriveに、PDF形式などで自動バックアップできる。

2 | フォルダを作成してノートを整理する

フォルダ管理が優秀なので、あらかじめ「仕事」「個人」「その他」といったフォルダを作成しておくのがおすすめ。フォルダ内にサブフォルダを作成することもできる。

新規ノートを作成する

1 | 新規メニューからノートを作成する

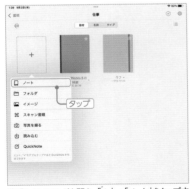

作成したフォルダを開き、「+」→「ノート」をタップすると、新規ノートを作成できる。不要なノートは、右上のチェックボタンで選択し、「ゴミ箱」をタップして削除できる。

2 | 表紙と用紙をテンプレートから選択

ノートの名前を付けたら、表紙と用紙のデザインをテンプレートから選択しよう。テンプレートは横向きと縦向きがあるので、使いやすい向きに決めておくこと。

手書き入力と新しいページの追加

1 | ノートに手書きで メモしていく

> ペン、消しゴム、蛍光ペンを選択

> カラーや太さを選択する

上部のツールバーでペン、消しゴム、蛍光ペンなどを選択し、右側のサブメニューでカラーや太さを選択したら、ページ内に手書きしてみよう。ペンの種類や消しゴムの消し方なども変更できる。

2 | 新しいページを 追加する

> タップ

右上の「＋」ボタンをタップすると、テンプレートを選択して新しいページを追加できる。また、ページを左にスワイプするだけで新規ページを追加することもできる。

手書き文字をキーワード検索してみよう

1 | 複数のノートから 検索する

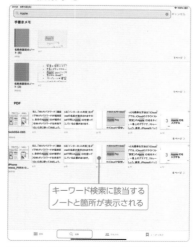

> キーワード検索に該当する ノートと箇所が表示される

複数のノートをまとめてキーワード検索したい場合は、ノート一覧の画面の最下部にある「検索」をタップ。画面上部の入力欄で検索しよう。

2 | 開いているノートから 検索する

> キーワード検索に該当 する箇所が表示される

現在開いているノートを検索するには、ノートを開いた状態で画面左上にある虫眼鏡アイコンをタップ。キーワード検索すると、該当箇所が一覧表示される。

手書き文字は投げ縄ツールでテキスト化できる

1 | 投げ縄ツールで手書き文字を囲う

テキスト化したい部分を投げ縄ツールで囲む

↓

囲んだ部分をタップして「変換」を選択

手書き文字をテキスト化することも可能だ。まずは、投げ縄ツールを使って手書き文字を囲う。次に囲んだ部分をタップして「変換」を選択しよう。

2 | 手書き文字がテキスト化される

テキスト化した文字は右上の共有ボタンから他のアプリに送れる

上のように別ウインドウが表示され、手書き文字がテキスト化される。文字の認識率はなかなか高く、丁寧に書いた文字であれば正確にテキスト化が可能だ。

PDFを開いて手書きメモを書き込んでみよう!

使いこなしヒント

PDFを読み込んで手書きメモを追加する

GoodNote 5では、PDFを開いて手書きメモを追加することが可能だ。メールで送られてきた資料に注釈を入れたい、といったときなどに使おう。なお、あらかじめPDFをiCloud Driveに保存しておけば、GoodNote 5のノート一覧画面から「+」ボタンをタップして、「読み込む」で読み込むことができる。

「+」ボタンから「読み込む」でPDFを開くことができる

手書きが不要なら Googleドキュメントがおすすめ

他のユーザーと共同編集しやすいのもポイント

　手書き入力が不要でテキスト入力のみで文書を作成したいなら「Googleドキュメント」を使ってみよう。Googleドキュメントは、クラウド型の文書作成サービスで、Googleアカウントさえあれば無料で使うことができる。iPadだけでなく、iPhoneやAndroid、Windows、Macなど、機種を問わず利用可能なのが特徴だ。これなら思い付いたアイディアをiPadで書きためておき、会社や家のパソコンでしっかりとした企画書を作る、といった運用も手軽に実現できる。Wordと同じような編集機能を備えているため、テキストだけでなく、画像や表などを使った本格的なビジネス文書も作成可能だ。また、同じ文書を他のGoogleアカウントユーザーに共有して、リアルタイムに共同編集できる機能も搭載。Googleアカウントを所持しているユーザーは多いため、気軽に共有して共同作業が行える点も魅力だ。

デバイスを選ばず快適に文書を作成できる

テキストでの文書
編集ならおまかせ！

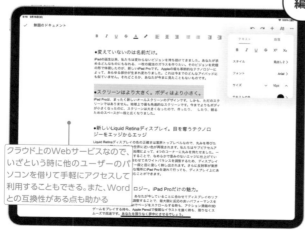

クラウド上のWebサービスなので、
いざという時に他のユーザーのパ
ソコンを借りて手軽にアクセスして
利用することもできる。また、Word
との互換性がある点も助かる

Google ドキュメント
作者 Google LLC
価格 無料

手書き入力はできない
が、テキスト入力がメイン
で、Ｗｅｂブラウザや
WindowsやAndroidで
も使いたいならこのアプ
リ。他のユーザーとの共
同編集も手軽で使いや
すい。

Googleドキュメントの基本的な使い方

1 | Googleドキュメントで 文書を新規作成する

「+」で文書を新規作成する

Googleドキュメントを起動したら、Googleアカウントでサインイン。文書を新規作成する場合は、一覧画面の右下にある「+」をタップしよう。

2 | テキストを入力して 文書を作成していこう

太字、斜体、文字色、行揃えなどのテキスト関連の機能はここから操作する

画像や表の挿入、テキストや段落の設定はここから行う

テキストや画像、表などを用いて文書を作成していこう。基本的な機能はWordとほぼ同じなので、Wordを使い慣れている人なら迷うことはない。

他のユーザーと同じ文書を共同編集する

1 | 共有したい相手に 招待メールを送る

文書を開いた直後にタップする

文書を他のユーザーと共同編集したい場合は、文書を開いた直後、右上に表示される共有ボタンをタップして、他のユーザーを招待しよう。

2 | 同じ文書をリアルタイムで 共同編集する

他のユーザーが編集中の場所

招待された他のユーザーは同じ文書を同時に編集可能だ。他のユーザーの編集中は、色の違うカーソルがリアルタイムで表示される。

使いこなしヒント

パソコンでGoogleドキュメントを編集する

Googleドキュメントは、パソコンのWebブラウザからも利用可能だ。以下のURLにアクセスしよう。

Googleドキュメント
https://docs.google.com/

手書きにも対応した Microsoftのクラウドノート

あらゆるデータを自由に配置して整理できる

　他のユーザーと共有や共同編集することが多く、さらに手書き入力も必要な人は「OneNote」を使おう。利用に必要なMicrosoftアカウントは、Googleアカウントほど汎用性はないものの、WindowsやOfficeユーザーなら登録済みの人が多く共有しやすい。作成したノートは自動的にOneDrive（Microsoftのクラウドストレージ）で同期され、WebブラウザやWindows、Androidなどデバイスを選ばず利用できる。テキストと手書きを混在できるほか、画像、音声、表、ファイル、リンクなどのデータを挿入でき、ページの大きさに制限がないのでレイアウトも自由自在。企画のアイデアを書き留めたり、調べた情報を貼り付けてまとめる使い方に向いている。メニューはWordやExcelと似ており、普段Officeアプリを使っている人には分かりやすい。ただ、テキスト入力はテキストボックスを個別に作成する仕様なので、普通のノートアプリと比べて操作にクセがある。

ページ内にさまざまなデータを集約しよう

Microsoft OneNote
作者 Microsoft
Corporation
価格 無料

WindowsやAndroidでも利用し、他のユーザーと共有や共同編集することが多い人向けのノートアプリ。Googleドキュメントでは利用できない手書き入力に対応する。さまざまなデータを扱える分、操作性はやや煩雑。

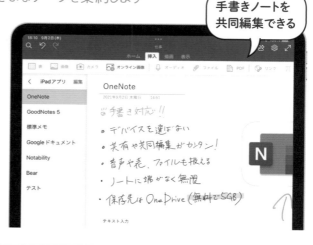

手書きノートを共同編集できる

新規ページを作成してテキストを入力してみよう

1 | アプリを起動して 新規ノートブックなどを作成

タップして階層の一番上に戻る

②ここをタップしてページの編集画面に移動

①ノートブックやセクション、ページを作成する

OneNoteを起動したら、Microsoftアカウントでサインインする。次に一番上の階層まで戻り、ページ下のボタンでノートブックなどを新規作成しよう。右端の空欄をタップしてページの編集画面に移動する。

2 | ページのタイトルを決めて 文字を入力していこう

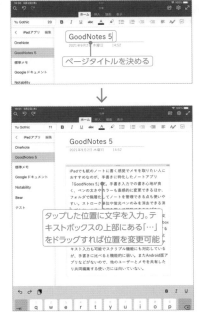

ページタイトルを決める

タップした位置に文字を入力。テキストボックスの上部にある「…」をドラッグすれば位置を変更可能

ページの編集画面になったら、一番上の入力欄をタップしてページに名前を付けておこう。次に「ホーム」タブを開いた状態で、ページの好きな位置をタップ。これでページ上に文字を入力することができる。

使いこなし ヒント

ノートブックの階層は 3つに分かれている

OneNoteのノートブックは、いくつかの階層に分かれている。一番上に「ノートブック」があり、次に「セクション」、その下に「ページ」という階層関係だ。ノートブックは、「アイディアメモ」や「日記」といった目的別に分けておくといい。セクションやページも、自分が使いやすいように分類しておこう。

ノートブック セクション ページ

「描画」画面で手書きのメモを入力する

1 | 「描画」画面を表示して ツールを選択

①「描画」タブを表示
②ツールを選択

ページ上に手書きでメモを書き込みたいときは、「描画」タブをタップしよう。画面上部から書き込みに使うツールを選択する。

2 | 手書きのメモを 書き込む

手書きでメモできる

指先やApple Pencilなどのペン入力デバイスで書き込んでみよう。描画の各ツールでは、ページのどの位置でも書き込みすることができる。

ページ中に画像やファイルなどを挿入してみよう

1 | 「挿入」画面で いろいろなものを挿入できる

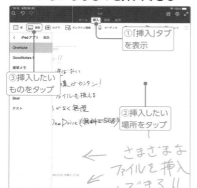

①「挿入」タブを表示
③挿入したいものをタップ
②挿入したい場所をタップ

「挿入」タブを開くと、画像やファイル、表、リンクなど、さまざまな情報をページに挿入することができる。ここでは画像を挿入してみよう。

2 | 挿入する位置や 大きさを変更する

画像の位置や大きさを変更

挿入したい画像を選んだら、画像中央のボタンで位置を変更、周りにある■ボタンで大きさを変更できる。好きな位置にレイアウトしよう。

ノートブックをほかのユーザーと共同編集する

1 | 共有ボタンから開いている ノートブックを共有

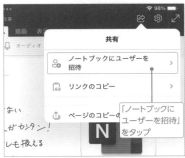

ノートブックを共有して、ほかのユーザーと共同編集したい場合は、画面右上の共有ボタンをタップ。「ノートブックにユーザーを招待」をタップする。

2 | 共有したい相手に 招待メールを送る

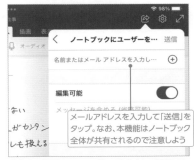

メールアドレスを入力して「送信」をタップ。なお、本機能はノートブック全体が共有されるので注意しよう

共有する相手のメールアドレスを入力して送信すれば、招待メールが送られる。相手がメールに記載されたリンクからアクセスすれば共同編集が可能だ。

iPadで作成したデータをパソコンで編集する

パソコンでも OneNoteが 使える！

iPadのOneNoteで作成したデータは、即座にOneDriveに同期される。パソコンなどほかの端末でOneNoteを開くと、OneDriveから最新のデータが同期され、そのまま編集を再開することが可能だ。WindowsやMac用のOneNoteアプリは、各公式ストアで無償提供されている。なお、Android用のアプリも無料だ。

使いこなし ヒント

Windows版のOneNoteは2つある

Windows用のOneNoteには、標準搭載されている無償版の「OneNote for Windows 10」とOffice365などに付属する有償版の「OneNote」がある。どちらを使っても構わないが、無償版の方がシンプルな分、インターフェイスが洗練されていて使いやすい。

録音とメモを紐付けできる
Notabilityで議事録を取る
会議やセミナーの音声を録音してあとで聞くことが可能

　「Notability」はノートアプリとしての機能を見ても完成度が高く、テキストと手書きを混在でき、画像やスタンプなどを自由にレイアウトできるほか、ペンをお気に入り登録できたり、フォルダをパスワードで保護できるなど、他のノートアプリにはあまりない便利な機能も備えている。何よりもユニークなのが、メモを入力しながら録音できる点だ。録音しながらテキストや手書きなどでメモを入力していくと、録音とメモが紐付けされ、音声再生時にはメモを書いている様子がアニメーションで再生されるのだ。この機能を活用すれば、会議やセミナーで音声を録音しながら重要なポイントだけをメモしつつ、あとで音声を聞きながら詳細な議事録を作成するといった作業も簡単。数あるノートアプリの中でも唯一無二と言っていい機能なので、メインで使うノートアプリのほかに、議事録用のノートアプリとしてNotabilityを併用するのがおすすめだ。

会議の様子を録音しながらメモを取れる

Notability
作者 Ginger Labs
価格 無料

録音した音声と入力したメモが関連付けられるのがとにかく便利。他にメインで使っているノートアプリがあっても、会議用のノートアプリとしてiPadにインストールしておきたい。

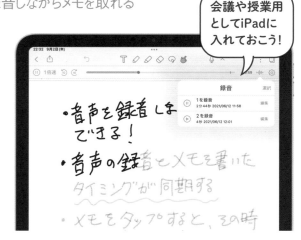

会議や授業用としてiPadに入れておこう!

音声を録音しながらメモを作成してみよう

1 | アプリを起動して 新規メモを作成しよう

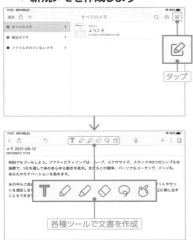

> タップ

アプリを起動したら画面右上の新規作成ボタンをタップ。新規メモが作成されるので、上部の各種ツールを使って文書を作成していこう。

各種ツールで文書を作成

2 | 録音しながら メモしてみよう

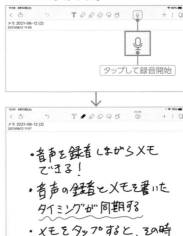

> タップして録音開始

音声を録音したいときは、メモ画面の上部にあるマイクボタンをタップ。あとは、録音しながらテキストや手書きなどでメモを取っていこう。録音を停止するには、画面上部の停止ボタンをタップ。

3 | メモ内で音声を 録音&再生する

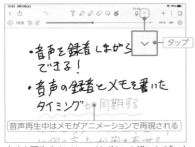

> タップ

音声再生中はメモがアニメーションで再現される

音声を再生するには、マイクボタンの横にある「∨」をタップして再生ボタンを押す。音声再生時にはメモ全体が一旦薄い色になり、カラオケの字幕のように、メモを取ったタイミングで色が元に戻っていく。また、メモ自体をタップすると、音声の再生位置もそのタイミングにジャンプ可能だ。

4 | メモスイッチャーで 2つのメモを表示

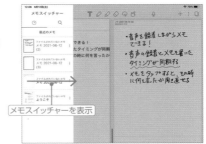

メモスイッチャーを表示

Notabilityには、アプリ内でメモを2つ同時に表示できる機能がある。画面左端から右にスワイプして、メモスイッチャーを表示したら、表示したいメモをドラッグ&ドロップしよう。これで録音時のメモを再生しながら、他のメモでテキスト入力して清書する、といったことも可能になる。

長文を快適に入力したいなら Bearを使おう

Markdown記法に対応した高性能エディタ

　とにかく快適に長文テキストを入力したい、という人におすすめなのが「Bear」だ。動作が軽く機能もシンプルで、長文テキストを集中して入力できるので、ブログやレポートの作成に向いている。またMarkdown記法に対応するのも特徴。Markdown記法とは、見出しや太字、箇条書きなどの書式を特定の記号で記述する方法のことで、たとえば、「*iPad*」のようにアスタリスク（*）で囲った部分は太字で表示される。慣れている人ならテキスト入力のみで素早く文章を装飾できるし、慣れていなければキーボード上部のショートカットバーをタップして簡単に装飾できるようになっている。手書き入力や画像の挿入も可能だが、あくまでも補助的な機能で、テキスト主体で利用するのがおすすめ。また、今のところAppleデバイス以外で使えず、共同編集などもできないので、iPadだけでノート作成が完結する使い方に向いたアプリだ。

テキスト入力が快適な軽量ノートアプリ

Bear
作者 Shiny Frog Ltd.
価格 無料

手書きや画像で文書を整えるよりも、テキスト主体でブログやレポートなど長文入力するのに向いたアプリ。Pro版の購入（150円／月または1,500円／年）で、iCloud同期やPDF出力などが可能になる。

> 余計な機能がなく集中してテキスト入力できる

Bearでの基本的なテキスト入力方法

1 | アプリを起動して画面を切り替えよう

左右スワイプで
画面を切り替える

サイドバー　メモリスト　エディタ

アプリを切り替えたら、画面を左右にスワイプしてみよう。サイドバーやメモリスト、エディタ画面の表示を切り替えることができる。

2 | メモを新規作成してテキストを入力しよう

タップ

メモリストの一番下にある「＋」ボタンをタップし、新規メモを作成。あとはエディタ画面でテキストを入力していこう。テキストの保存は自動で行われる。

3 | テキストに見出しを付けてみよう

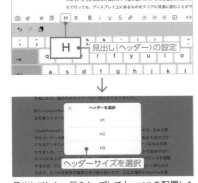

見出し（ヘッダー）の設定

↓

ヘッダーを選択
H1
H2
H3

ヘッダーサイズを選択

見出しにしたい行をタップしてカーソルを配置したら、キーボードの上にあるショートカットバーから「H」ボタンをタップ。ヘッダーサイズを設定しよう。

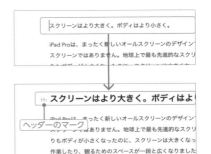

ヘッダーのマーク

見出しに設定した行は、ヘッダーサイズに応じてフォントの太さや大きさが変更される（H1が最大サイズで、H2が中、H3が小サイズとなる）。見出しの先頭には「H1」などと記号が表示され、記号をタップすればヘッダーサイズなどの再設定が可能だ。

ショートカットバーを使いこなそう

Bearを使いこなすのであれば、まずはショートカットバーの各ボタンについて理解しておこう。ここから、画像や線画の挿入、タグの挿入、各種Markdown（太字、斜体、下線、箇条書きなど）の挿入などが行える。

ショートカットバーにある各ボタンの機能

画像／写真
画像や写真を
挿入できる

下線
選択しているテキスト
に下線を付ける

コード（複数行）
複数行のコードを
記述する場合に使う

線画
手書きの線画を
描いて挿入できる

打ち消し線
選択しているテキスト
に打ち消し線を付ける

ハイライト
選択しているテキストを
ハイライト表示する

タグ
タグを設定して、メモを
分類することができる

リンク
WebサイトのURLを入
力してリンクを挿入する

ファイル
ファイルアプリを開いて
ファイルを挿入する

メモへのリンク
ほかのメモへの
リンクを挿入できる

箇条書き（点）
番号なしの箇条書き
書式に設定する

現在の日付
現在の日付や
時間を挿入する

見出し
カーソル行のテキストを
見出しに設定する

箇条書き（番号）
番号ありの箇条書き
書式に設定する

インデント
カーソル行の
インデントを設定する

行区切り線
カーソル行に
行区切り線を挿入する

引用
文章を引用する場合
に使う書式に設定する

行の移動
カーソル行を上下に
移動することができる

太字
選択しているテキストを
太字に設定する

ToDoリスト
行頭にチェックマークを
付けることができる

取り消し
作業の取り消し／やり直
しをボタンで実行できる

斜体
選択しているテキストを
斜体に設定する

コード
文章中にコードを
記述したい場合に使う

カーソル移動
カーソルを上下左右に
移動することができる

Markdown記法を使って文章を読みやすくする

1 選択した文字の書式を
太字や斜体などに変更する

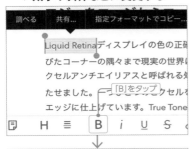

書式を変更するには、文字を選択した状態でショートカットバーの「B（太字）」や「i（斜体）」などのボタンをタップしよう。なお、Markdownの記号を削除すると書式も解除される。

2 箇条書きで
リストを見やすくする

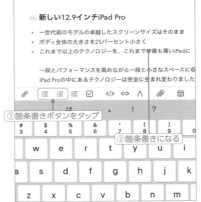

ショートカットバーの箇条書きボタン（番号なしと番号ありのどちらか）をタップすれば、カーソル行を箇条書きにすることができる。項目をリスト化して見やすくしたいときに使おう。

3 インデントで
文章の階層構造を作る

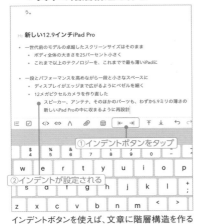

インデントボタンを使えば、文章に階層構造を作ることができる。インデントは箇条書きと組み合わせることも可能だ。

使いこなしヒント ほかのアプリから
テキストなどを取り込む

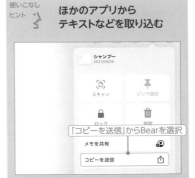

メモアプリなどのテキストエディタ系アプリで編集していた文書を、Bear側に送りたいときは、共有ボタンや「コピーを送信」機能からBearを選択すればいい。なお、Safariの場合は、保存画面で「Webページのコンテンツ」を選ぶことで、そのページのテキストと画像だけを抜き出すことができる。

画像や手書きの線画を挿入する

1 | メモに画像を挿入する

タップ
カメラ
画像ライブラリ ← タップ

画像が挿入された

画像を挿入したい場合は、ショートカットバーからカメラアイコンをタップ。「画像ライブラリ」から画像を選択すれば、カーソル位置に画像が挿入される。

2 | 手書きの線画を挿入する

タップ

色や太さを選択
描画ツールを選択

ショートカットバーの線画ボタンをタップすると、手書きの描画モードに切り替わる。書き終えたら左上の「×」ボタンをタップ。線画がメモに挿入される。

タグ機能でメモを分類してみよう

1 | メモにタグを設定しておこう

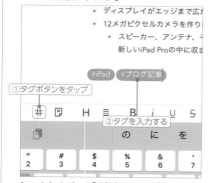

・ ディスプレイがエッジまで広が
・ 12メガピクセルカメラを作り
 ・ スピーカー、アンテナ、
  新しいiPad Proの中に収ま

#iPad #ブログ記事

①タグボタンをタップ
②タグを入力する

ショートカットバーの「#」ボタンをタップすると、メモにタグを設定できる。タグは複数設定してもOK。分類しやすいようにメモごとに設定しておこう。

2 | タグの付いたメモはサイドバーから呼び出せる

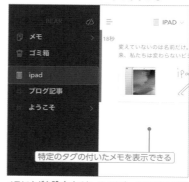

BEAR
📝 メモ
🗑 ゴミ箱
📄 ipad
 ブログ記事
 ようこそ

特定のタグの付いたメモを表示できる

メモにタグを設定すると、サイドバーからアクセスできるようになる。タグをタップすると、そのタグ付きのメモがメモリストに表示される仕組みだ。

覚えておくと便利なBearの機能

1 | メモの文字数や読書時間を表示する

エディタ画面の右上にある「i」ボタンをタップすると、メモ全体の文字数や読書時間が表示される。ブログ記事の下書きをする際の目安にしよう。

2 | ToDoリストを使ってタスク管理が行える

ショートカットバーのToDoボタンを利用すれば、タスクリストをチェックマークで管理できる。ToDo付きのメモは、メモリストに進捗状況が表示される。

3 | メモをピン止めしてアクセスしやすくする

メモリストの項目を左にスワイプし、「上にピン留め」をタップしてみよう。そのメモがリストの一番上に固定され、アクセスしやすくなる。

4 | タグにアイコンを設定してわかりやすくする

サイドバーのタグをロングタップして「タグアイコンの変更」を選択。好きなアイコンを設定しておけば、タグを見た目でもわかりやすくできる。

使いこなしヒント

フォントの見た目を変更する

エディタ画面のフォントやフォントサイズを変更したい場合は、サイドバーの下にある設定ボタンをタップ。「エディタ」→「タイポグラフィ」を選択しよう。フォントやフォントサイズのほか、行の高さや行の幅、段落間隔などを設定することができる。

メモや文章同士をリンクさせて管理する

参考資料や該当箇所をすばやく確認できるようにしよう

　作成したメモに関連するメモやテキストがある場合は、リンク機能を活用するとより分かりやすく整理できる。例えば書いた内容の参考資料として別のメモをリンクしたり、ページ内の注釈を後半にまとめた解説文にリンクしたり、ページ数が膨大になった時に目次リンクを設定しておけば、タップするだけで関連メモを素早く開いたり該当箇所に移動できる。GoogleドキュメントやBear、OneNoteなどは使いやすいリンク機能を備えているので、ぜひ活用しよう。また標準メモアプリでも、「…」→「メモを共有」からメモの共有リンクをコピーして別のメモに貼り付けることで、メモ同士をリンクさせることが可能だ。

Bearでメモ同士をリンクする

1 | メモへのリンクボタンをタップ

Bearでメモ同士をリンクさせるには、リンクを挿入する箇所にカーソルを合わせて、メモへのリンクボタンをタップ。続けてリンク先のメモを選択する。

2 | 他のメモへのリンクが設定された

すると、[[ ]]で囲まれてメモのタイトルが入力され、リンク表示になる。リンクをタップすると、このタイトルのメモがすぐに開く。

Googleドキュメントでメモ同士や特定の見出しにリンクする

1 | メモの共有リンクをコピーする

参考資料など他のメモにリンクしたいメモを開いて編集モードにし、右上の「…」→「共有とエクスポート」→「リンクをコピー」をタップ。

2 | 他のメモを開いてリンクを貼り付ける

別のメモにコピーした共有リンクを貼り付けよう。タップするとリンク先のメモがプレビュー表示され、さらにタイトルをタップするとメモが開く。

3 | 各見出しへの目次を挿入する

ページ数が膨大な文書は、タップするだけで各見出しにジャンプする目次ページを作成しておこう。「+」→「目次」→「青いリンクあり」をタップすると、カーソル位置にすべての見出しへのリンクが作成される。

4 | 特定の見出しへのリンクを貼る

テキストを選択状態にして「リンクを挿入」をタップし、「見出し」からリンク先を選択すると、その見出しへのリンクが挿入される。

文章を手書きで校正したいなら PDF化しよう

マークアップ機能で修正指示を入れてPDF化しよう

　取引先から送られてきたテキストやWebサイトのテストページなどに、手書きで修正指示を入れたい場合、マークアップ機能を使うのがオススメ。たとえば、テキストを校正するなら、送られてきたテキストを一旦コピーしておき、標準メモアプリの新規メモに貼り付けよう。画面右上の「…」ボタンから「コピーを送信」→「マークアップ」を実行すれば、Apple Pencilで直接校正を書き込むことが可能だ。マークアップで編集したデータはPDF化されるため、そのまま取引先にメール送信できる。また、Webサイトに修正指示を入れるなら、Safariで該当のWebページを開き、共有ボタンから「マークアップ」を選べばいい。なお、WordやExcelなど一部のアプリは、開いたファイルをPDFとして直接出力することが可能。「PDF Expert」などのアプリを使えば、PDFに手書きで修正指示を入れられる（P154参照）。

1 | メモアプリからマークアップ機能を呼び出す

テキストを校正したい場合は、まずメモアプリを起動しよう。新規メモを作成し、校正したいテキスト全体を貼り付けておく。次に、画面右上の「…」ボタンから「コピーを送信」→「マークアップ」をタップする。

2 | マークアップ機能で校正する

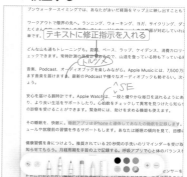

マークアップ機能が起動したらテキストを校正しよう。マークアップで編集したデータは自動でPDF化されている。あとは、「完了」でファイルに保存したり、共有ボタンからメール送信したりが可能だ。

1行の文字数を設定できる
エディタアプリ

決まった行数で文章を書いていきたい場合に最適

　企業の広報誌や機関の情報誌など、紙媒体向けの文章を作成する場合、一定の文字数以内に文章を収めるように原稿を作成することが多い。紙媒体では、掲載する文章の文字数があらかじめ決まっていることがほとんどだからだ。また、媒体によっては、「1行32文字で10行分の文章を書いてほしい」といったように、1行の文字数と行数を指定されることもある。そんなときは、「iライターズLite」を使ってみよう。各種設定からフォントサイズと行幅を調整すれば、1行の文字数を設定することが可能だ。そのほかにも、縦書き表示への切り替え、マス目の表示、独自の日本語辞書機能など、文章作成に特化した機能が用意されている。さらに、有料版（400円）の「iライターズ」では、文字数カウントや正規表現での検索／置換などにも対応。プロ向けの機能を利用することができる。

1 フォントの種類や 大きさなどを設定する

iライターズLite
作者 LIGHT,WAY.
価格 無料

アプリ右上にある「A」ボタンをタップすれば、フォントの種類や大きさ、行間などを設定することができる。使いやすい状態に設定しておこう。

2 行幅を調整して 1行の文字数を決める

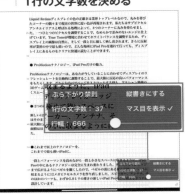

画面右下の「⊿」マークをタップして、「行幅」のスライダーを調整してみよう。フォントサイズとの兼ね合いで、1行の文字数を調節することができる。

定型文やクリップボードを
駆使して文章作成を効率化

メールの挨拶文やよく使う文章を素早く呼び出す

　簡単な定型文であれば、iPadOS標準の機能である「ユーザ辞書」を活用することで登録および入力が可能だ（P104参照）。ただし、登録する定型文の数が多い場合は、専用のアプリを使ったほうがいい。「フレーズキーボード」は、よく使う定型文を複数登録して、文字入力時にキーボードから呼び出すことができるアプリだ。定型文は「仕事」や「家族」などのカテゴリで分類でき、複数行の長い文章も登録することができる。取引先に送るメールの挨拶文や署名、SNSやLINEでよく入力する文章、Webサイトの登録フォーム用の住所や電話番号などを定型文として登録しておくと便利だ。なお、「セキュア」カテゴリではパスコードで定型文をロックすることが可能。個人情報が含まれる定型文は、このカテゴリ内に登録しておくことで安全に使うことができる。

キーボードから定型文を呼び出せるようになる

フレーズキーボード
作者 Daniel Soffer
価格 250円

本アプリはキーボードとして機能し、文字入力中に定型文を呼び出すことができる。どんなアプリでも定型文が使えるようになるので便利だ。メールの挨拶文やよく使う文章を登録して、テキスト入力を効率化しよう。

> よく使う定型文を
> 登録して
> すぐ入力可能

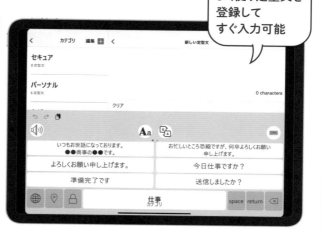

キーボード設定を行って定型文入力を行う

1 設定からキーボードとフルアクセスを有効にする

「設定」→「一般」→「キーボード」→「キーボード」→「新しいキーボードを追加」で「Phraseboard」をタップ。追加された「Phraseboard」をタップして、「フルアクセスを許可」をオンにしておこう。

2 アプリを起動して定型文を追加しておく

Phraseboard Keyboardのアプリを起動したら、よく使う定型文を追加しておこう。定型文はカテゴリごとに複数登録することができる。

3 キーボードから定型文を呼び出せる

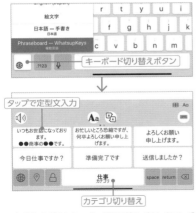

文字入力時に、キーボード切り替えボタンをロングタップ。「Phraseboard Keyboard」に切り替えれば、定型文を呼び出すことができる。

使いこなしヒント

有料の拡張機能の画面が表示されたら?

アプリ起動時などに各種有料サブスクリプションサービスの案内が表示されるが、特に必要ない人は左上の「×」ボタンで閉じよう。無課金でも基本機能は使うことができる。

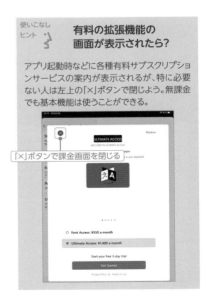

「×」ボタンで課金画面を閉じる

長文の編集、再構成には Split Viewを利用しよう

2つのアプリを起動してテキストをドラッグ&ドロップする

iPadでは「Split View」機能（P18で解説）により、2つのアプリを2分割した画面で同時に操作できる。またSplit View表示時は、2つの画面間でテキストをドラッグ&ドロップして簡単にコピーできる。これを利用すれば、たとえば「Googleドキュメントで下書きした文章を、Bear（P68参照）で編集および再構成して整える」といった作業をスムーズに行える。また、標準メモやBearなどiPadに最適化されたアプリなら、2画面で同じアプリを起動して、さらに同じファイルを同時に開くことも可能だ。たとえば、長い文章の後半を前半に移動させたいときに、同じファイルの後半と前半を表示させておけば、テキストをドラッグ&ドロップするだけで簡単に移動して再構成でき、編集結果は両方の画面でリアルタイムに反映される。なお、PagesやWordなど、同じアプリをSplit Viewで同時に起動できても、同じファイルを同時に開けないアプリもある。

Split Viewで2つのアプリを同時に起動する

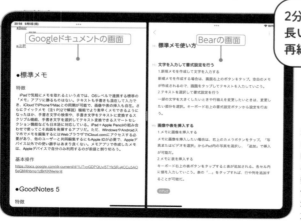

2分割画面で長い文章を再編集する

Split View機能を使えば、アプリを2画面に分割して操作することができる。これは、パソコンで複数のウィンドウを並べて作業する感覚に近い。文章を再編集する際に役立つので覚えておこう。

Split Viewでアプリを起動してテキストを再編集する

1 | Split Viewで2つのアプリを表示する

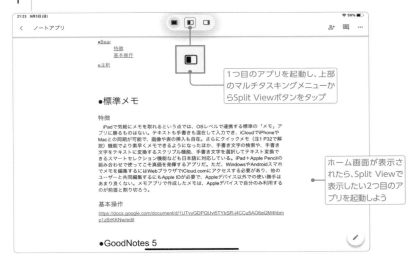

1つ目のアプリを起動し、上部のマルチタスキングメニューからSplit Viewボタンをタップ

ホーム画面が表示されたら、Split Viewで表示したい2つ目のアプリを起動しよう

2 | テキストをドラッグ&ドロップして再編集する

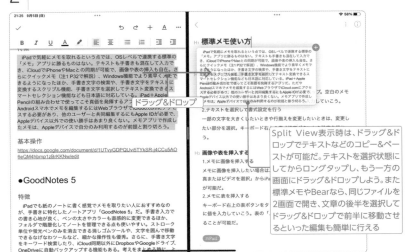

ドラッグ&ドロップ

Split View表示時は、ドラッグ&ドロップでテキストなどのコピー&ペーストが可能だ。テキストを選択状態にしてからロングタップし、もう一方の画面にドラッグ&ドロップしよう。また標準メモやBearなら、同じファイルを2画面で開き、文章の後半を選択してドラッグ&ドロップで前半に移動させるといった編集も簡単に行える

Pagesのスマート注釈機能で
一歩進んだ文章校正を

Pagesなら文章の校正と修正がスムーズにできる

　　Appleの文書作成アプリ「Pages」では、「スマート注釈」という機能が搭載されている。この機能を使うと、文章中に手書きで注釈を入れられるだけでなく、文章の変更に対して注釈の位置が常に追随するようになる。具体的にどういう機能なのかは下で詳しく解説しているのでチェックしてほしい。たとえば、通常の校正作業だと、「エディタアプリで文章作成」→「文章をPDF化して手書き対応アプリで校正」→「エディタアプリで文章を修正」といった流れになることが多い。しかし、Pagesのスマート注釈機能を使えば、校正の際にいちいちPDF化する必要もなく、校正の内容を反映させる際に別のエディタアプリを使う必要もなくなるのだ。文章作成自体は普段使っているメモアプリなど行い、校正と修正作業に関してはPagesにテキストを移行して作業するといった使い方もオススメだ。

文章を変更しても注釈の位置が追随してくれる

1 | スマート注釈機能で 手書きの注釈を入れる

上図は、Pagesのスマート注釈機能を使って、手書きの注釈を入れたもの。書き終えた文章を校正したいときに使える機能だ。文章の誤字脱字などを発見したら、その部分に注釈を入れよう。

2 | 文章を変更すると 注釈の位置が追随する

スマート注釈機能が優れているのは、注釈を入れた状態で文章を修正すると、注釈の位置が文章の変更に追随してくれるという点。これにより、文章の校正と修正を1つのアプリで完結できるのだ。

メモアプリで作成したテキストをPagesで校正してみよう

1 | メモアプリで作成したテキストをファイルに保存する

メモアプリでテキストを作成している場合は、「…」ボタン→「コピー送信」→「"ファイル"に保存」を選択。iCloud Driveなど好きな場所にテキストファイルを保存しよう。もちろんメモからPagesへテキストをコピー＆ペーストしてもよい。

2 | Pagesでテキストを開いて「スマート注釈」を起動

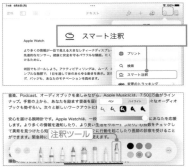

Pagesを起動したら、手順1で保存したテキストファイルを開く。画面右上の「…」→「スマート注釈」をタップするか、Apple Pencilで画面内をタッチし、表示されたツールバーから注釈ツールを選択する。

3 | 手書きの注釈を入れていこう

Apple Pencilで（指先でも可）注釈を入れていこう。校正が終わったら、そのままPages上で校正内容に沿った修正作業も行える。注釈を消すには、タップして「削除」を選択すればよい。

使いこなし
ヒント

スマート注釈における注釈の入れ方のコツ

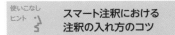

赤く光った部分が注釈と関連付けられた文字

スマート注釈では、文字と注釈を関連付ける必要がある。注釈を入れた直後、文字の周りが一瞬赤くなるが、その赤い範囲が注釈と関連付けられた文字であることを示している。うまく関連付けができていないと、文字を修正したときに追随しなくなるので注意しよう。コツとしては、「文字に絡めるように打ち消し線や引き出し線を入れる」、「線や文字などは離しすぎない」、「注釈入力に時間をかけすぎない」の3つを守ればうまくいくはずだ。

言い換え機能が助かる
文章作成アプリ
ワンパターンの表現を避けられる

　文章を書いていると、つい同じ表現や言い回しを多用しがちという人におすすめの文章作成アシストアプリが「idraft」だ。オンライン辞書「goo辞書」のノウハウを活かして開発されたアプリで、文章を入力して「言い換え」ボタンをタップするだけで、言い換えや類語がある語句をリストアップして、候補を提案してくれる。候補から選んでチェックを入れると、すぐにその語句に修正できる。また「校正」ボタンをタップすると、ら抜き言葉や間違いやすい言い回し、慣用句をチェックしてくれる。テキストを選択して「辞書」ボタンをタップすれば、国語辞典や類語辞典、英和・和英辞典などですぐに調べることも可能だ。ビジネスメールや資料の作成では、読みやすく内容がきちんと相手に伝わる文章が求められるので、このアプリを使ってしっかり推敲を重ねよう。

> 言い回しを変えて
> 読みやすい文章に

idraft by goo
作者 NTT Resonant Inc.
価格 無料

文章を入力したら、下部の「言い換え」ボタンをタップしよう。言い換えがある語句は候補が表示され、タップするとその候補に修正できる。重要なメールや資料作成の下書きに活用しよう。

Siriに音声で指示して
スピーディにメモを取る

簡単なメモを音声入力だけで保存できる

日々生活していると、「資料に使う写真はB案にする」、「次回のミーティングは〇月〇日の〇時」など、ちょっとした要件や覚えておきたい事柄などをサッとメモしたいときがある。その際、iPadでメモアプリを起動し、メモの内容をキーボードで入力する……というのは、ちょっと面倒だ。そこでオススメしたいのが、Siriを使った音声入力によるメモ機能。まずは、「設定」アプリで "Hey Siri"を聞き取る」をオンにしておこう。あとは、iPadに「Hey Siri」と話しかけてメモする内容を伝える。たとえば、「YouTubeの案件については山田さんと佐藤さんに企画書を送るとメモ」と伝えれば、標準のメモアプリでメモを残してくれるのだ。また、「設定」→「Siriと検索」→「ロック中にSiriを許可」がオンになっていれば、離れた場所にあるiPadでも音声だけでメモできるので便利。

「Hey Siri」でメモする内容を話しかける

1 | Hey Siriの機能を 有効にしておこう

まずは「設定」アプリの「Siriと検索」をタップ。「"Hey Siri"を聞き取る」がオフになっていれば、オンにして必要な設定を済ませておこう。「ロック中にSiriを許可」もオンにしておけば、ロック中でもSiriに頼んでメモできるようになる。

2 | Siriを起動して メモする内容を伝える

iPadに「Hey Siri」と話しかけるとSiriが起動。「YouTubeの案件については山田さんと佐藤さんに企画書を送るとメモ」などと伝えれば、その内容が標準のメモアプリで保存される。また、Siriに「メモ（タイトル）に追加」と頼み、続けてメモ内容を話すことで、指定したメモに追記することもできる。

手書き入力した文章を
即座に翻訳する

見かけた外国語を手書きで書いて調べられる

　手書きで翻訳できると、見かけた外国語をそのまま書いて調べられるので非常にスムーズ。iPadには、11カ国語に対応する翻訳アプリが標準で用意されており、スクリブル機能で手書き翻訳もできるのだが、スクリブルだとペンが少し止まった瞬間に入力されてしまうし、翻訳精度もあまり高くない。おすすめは、108言語に対応し翻訳精度も高い「Google翻訳」だ。スクリブル入力以外に、別途手書きモードが用意されており、文字を正確に手書き入力してから翻訳できる。なお、手書きモード左下の歯車ボタンをタップして「自動挿入」をオンにすれば、手書きした文字をリアルタイムで自動翻訳することもできる。

1 | アプリを起動して「手書き入力」をタップ

Google 翻訳
作者 Google LLC
価格 無料

翻訳する言語を設定

Google翻訳アプリを起動したら、一番上の設定エリアで翻訳する言語を設定する。次にペンボタンをタップして手書きモードにしよう。

2 | 手書き文字を翻訳する

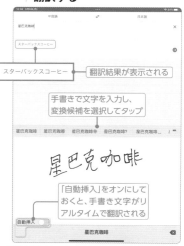

翻訳結果が表示される

手書きで文字を入力し、変換候補を選択してタップ

「自動挿入」をオンにしておくと、手書き文字がリアルタイムで翻訳される

意味を調べたい文字などを手書きエリアに入力しよう。変換候補から文字を選んでタップすると、翻訳結果が表示される。

書類をOCRアプリで
テキスト化する

PDFからテキストを抽出してコピーできる

　印刷された書類や本などをテキスト化したい場合、OCRアプリを使うといい。「Adobe Scan」（P177でも解説）は、アプリ内のカメラで書類を撮影するだけで、OCR処理によってテキスト内容をスキャンした上でPDF保存できるアプリだ。保存したPDFファイルを開いて「テキストアクション」をタップすると、認識されたテキストが紫色で選択状態になる。始点と終点のカーソルをドラッグしてコピーしたい範囲を選択したら、「テキストをコピー」をタップしよう。あとはメモアプリやメールにテキストを貼り付ければよい。

1 アプリ内カメラで 書類を撮影してPDF化

Adobe Scan
作者 Adobe Inc.
価格 無料

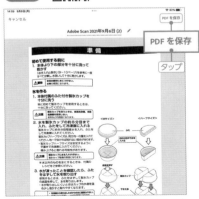

> PDF を保存
>
> タップ

アプリ内のカメラを書類に向けると文書を探して自動的に撮影される。スキャンしたい範囲を選択して、「PDFを保存」をタップしよう。

2 PDFからテキストを 抽出してコピーする

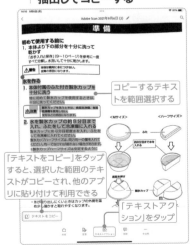

> コピーするテキストを範囲選択する

> 「テキストをコピー」をタップすると、選択した範囲のテキストがコピーされ、他のアプリに貼り付けて利用できる

> 「テキストアクション」をタップ

保存PDFを開いて「テキストアクション」をタップすると、テキストが抽出される。コピーしたいテキストを範囲選択したら、「テキストをコピー」でクリップボードにコピーできる。

C O L U M N

新しくなったウィジェットを活用してみよう

iPadOS 15では、ウィジェットをホーム画面の好きな場所に配置できるようになり、より積極的に使えるようになった。そこで、ここではウィジェットの新機能を活用した仕事の効率化テクニックをいくつか紹介していく。ぜひ試してみてほしい。

ウィジェット活用例 ①

同じジャンルのウィジェットをスマートスタックでまとめる

ホーム画面にたくさんのウィジェットを配置していくと、どこに何があるのかがわかりずらくなってしまうことも。そこでスマートスタック機能を使い、同じジャンルのウィジェットを1つにまとめておこう。ホーム画面をより効率的に使えるようになる。

1 ウィジェットをスマートスタック化

ウィジェット同士を重ねてスマートスタック化

カレンダーとリマインダーのウィジェットを両方配置した例。ウィジェット同士を重ねてスマートスタック化してみよう。

2 表示ウィジェットを切り替える

上下スワイプで切り替え

スマートスタックで一緒にまとめてしまえば省スペースに。上下スワイプで表示を切り替えられるのでアクセス性も悪くない。

メールアプリのウィジェットを
メールアカウントごとに表示する

標準メールアプリのウィジェットを複数配置すれば、複数のメールアカウントやメールボックスを分けて表示できる。1つのウィジェットで「全受信」のメールボックスを指定するよりも、効率的に新着メールをチェック可能だ。

1 メールアカウントを複数設定しておく

複数のメールアカウントを追加

まずは「設定」→「メール」→「アカウント」→「アカウントを追加」で、標準のメールアプリで受信するメールアカウントを複数設定しておこう。

2 メールのウィジェットを複数配置しておく

標準メールアプリのウィジェットをホーム画面に配置

次に、ホーム画面に標準メールアプリのウィジェットを複数配置しておこう。初期状態ではどちらも同じメールボックスが表示されるはずだ。

3 ウィジェットごとにメールボックスを設定する

アカウントごとのメールボックスを選択できる

ウィジェットをロングタップ→「ウィジェットを編集」→「メールボックスを選択」から、表示するアカウントおよびメールボックスを選択しよう。

4 別アカウントのメールボックスを表示できる

別々のメールアカウントを表示できる。スマートスタックにまとめてもよい

上画像は、各ウィジェットで別のメールアカウントのメールボックスを指定した例。複数のメールアカウントを併用している人にオススメの設定だ。

よく使う資料やマニュアルなどの
PDFをホーム画面に配置

　「PDF Expert」などのアプリに搭載されているウィジェットを活用すれば、よく使うPDFをホーム画面に配置しておくことができる。今進めている仕事の資料やマニュアルを、ウィジェットとして配置しておくと便利だ。

PDF Expert
作者 Readdle
Technologies Limited
価格 無料

1 | よく使うPDFを お気に入りに登録

ドラッグ&ドロップで
お気に入りに登録

まずはPDF Expertに資料やマニュアルなどのPDFを取り込んでおく。また、ホーム画面で表示したいPDFはお気に入りに登録しておこう。

2 | PDF Expertの ウィジェットを設定する

次にホーム画面にPDF Expertのウィジェットを配置する。ウイジェットにはいくつか種類があるが、ここでは「お気に入り」のウィジェットを使う。

3 | PDF一覧が 表示される

ホーム画面でPDF
をすぐ参照できる

さまざまな形式のファイルを扱う場合は、標準のファイルアプリのウィジェットを利用しよう

これでお気に入りに登録してあるPDFがホーム画面に一覧表示される。各PDFをタップすれば、PDF Expertが起動してすぐPDFが表示されるので便利。

ホーム画面に付箋のような
メモを貼り付ける

「ホームに貼れるメモ帳 - StickyNote」は、ホーム画面に付箋のようにメモを貼り付けられるアプリ。タップするだけで書き込みが可能だ。

**ホームに貼れるメモ帳
- StickyNote**
作者 Shota Yamashita
価格 無料

1 ウィジェットを配置する

アプリをインストールしたら、ホーム画面にStickyNoteのウィジェットを配置しよう。サイズは3種類用意されている。

2 タップでメモが書き込める

別のウィジェットでメモを分けることも可能

ホーム画面に付箋のように貼り付けられた。タップすればアプリが起動してメモを書き込める。色違いの付箋も利用可能だ。

ウィジェットに特化したアプリを
インストールして使う

見た目がシンプルなカレンダーウィジェット

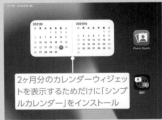

2ヶ月分のカレンダーウィジェットを表示するためだけに「シンプルカレンダー」をインストール

メインのカレンダーアプリは自分の好きなアプリを使いつつ、ウィジェットに関してはこのシンプルカレンダーも併用する、というスタイルがオススメだ。

シンプルカレンダー
作者 Komorebi Inc.
価格 無料

ウィジェットが優秀なアプリを見つけたら、そのためだけにアプリをインストールするのもアリだ。たとえば、「シンプルカレンダー」はカレンダーウィジェットが充実。アプリ自体は使わなくても、ウィジェット目的で導入してみるのもオススメだ。

よく使うショートカットを
ホーム画面に設置する

ショートカットアプリで設定した各ショートカットは、ウィジェットとしてホーム画面に設置することが可能だ。以前もアイコンとして設置することは可能だったが、ウィジェットの方がショートカット名がしっかり表示されるのでわかりやすい。

1 | ショートカットアプリで ショートカットを作成

まずはショートカットアプリでショートカットを作成しておこう。ショートカットアプリの使い方についてはP208で解説しているのでそちらを参照。

2 | ショートカットの ウィジェットを配置

ホーム画面にショートカットアプリのウィジェットを配置しよう。1つのショートカットを実行できるタイプや、複数ショートカットが実行できるタイプがある。

3 | ホーム画面からすぐに ショートカット実行できる

これでホーム画面にショートカットのウィジェットを配置できた。各ショートカットのボタンをタップすれば、すぐにそのショートカットを実行できる。

使いこなしヒント ホーム画面にアプリを 置かない使い方もアリ

iPadOS 15では、ホーム画面にアプリを一切置かず、ウィジェットだけ配置するという使い方もできる。アプリは、DockやAppライブラリ、Siriからの提案ウィジェットから探せばいい。

文字入力

の仕事技

長文入力も苦にならない
専用キーボードを使ってみよう

自分のiPadで使えるキーボードを選ぼう

　iPadは画面が広い分、表示されるソフトウェアキーボードもサイズが大きくて入力しやすい。iPhoneの小さなキーボードに比べれば、文字入力はかなり快適に行える。とは言っても、キーボードが表示されると画面の半分近くが隠れてしまうし、平置きでの文字入力は姿勢が疲れて、あまり長文入力には向いてない。また、画面をタッチするソフトウェアキーボードは誤入力も増えがちだ。iPadを書類作成やメール作業で使う事が多いなら、やはり外部キーボードがあった方が作業は楽だ。Apple純正のiPad専用キーボードとしては、「iPad用Magic Keyboard」「Smart Keyboard Folio」「Smart Keyboard」の3種類が用意されている。専用に設計されたキーボードなので、電源もペアリングも不要で使え、マグネットで簡単に着脱できるなど、使い勝手は折り紙付きだ。それぞれのモデルで機能が違うだけでなく、対応するiPadの機種も違うので、自分のiPadに合ったモデルを選ぼう。また同じキーボードでも、iPadのサイズ違いによって対応製品が異なる。購入時にはよく確認しよう。

iPad専用キーボードの種類

Magic Keyboard
対応モデル
iPad Air（第4世代）
12.9インチiPad Pro（第3、4、5世代）
11インチiPad Pro（第1、2、3世代）

価格
34,980円、41,580円（税込）

Smart Keyboard Folio
対応モデル
iPad Air（第4世代）
12.9インチiPad Pro（第3、4、5世代）
11インチiPad Pro（第1、2、3世代）

価格
21,800円、24,800円（税込）

Smart Keyboard
対応モデル
iPad（第7、8、9世代）
iPad Air（第3世代）
10.5インチiPad Pro

価格
18,800円（税込）

iPad用Magic Keyboardの特徴

トラックパッド付きキーボードの便利な点は、iPadの画面をタッチ操作したい時に、いちいちキーボードから手を離さずに済むところ。トラックパッドに手を置くと画面上にカーソルが表示され、これをドラッグして画面をタップできるので、iPadの操作が手元で完結する。また複数の指を使えば、ロングタップメニューを表示したり、ホーム画面に戻ったり、アプリを切り替えることも可能だ

角度は最大130度まで調整できる

少し浮いた状態でiPadを接続し、無段階で最大130度まで傾きを調整できる。またヒンジ部には、iPad充電専用のUSB Type-C端子を搭載する。

トラックパッドやバックライトを搭載

キーボード下部にはトラックパッドが搭載されており、トラックパッドに対応したiPadOSでの作業がはかどる。またバックライトを内蔵するほか、キーストロークも1mmあって打ちやすい。

表面と背面を守る保護カバーにもなる

表面と背面を保護するカバーにもなる。ただしSmart Keyboard Folioのように、付けたままでキーボード部を背面に折り畳んで使うことはできない。

iPad専用キーボードに共通する便利な機能

1 | ペアリング不要の ワンタッチ着脱

両方の端子を合わせるだけ

Bluetoothキーボードと違って、iPad専用キーボードはペアリングも電源も不要となっている。iPadの本体にある小さなコネクタを、iPad専用キーボードのコネクタとマグネットで吸着するだけで利用できる。

2 | 豊富なショート カットが便利

「command + C」を押してコピー

iPadでも、「Command」や「Control」、「Option」キーを使えるのは大きな魅力だ。これらのキーを使ったキーボードショートカットを覚えておけば、テキスト入力時などの作業効率が格段にアップするはずだ。ショートカットについてはP98で詳しく解説している。

3 | ロックの解除も スマート

カバーを開くだけでロックを解除できる

Face ID対応のiPadで使っているなら、ロック解除も非常にスマート。カバーを開くか、何かキーを押すとスリープから復帰し、そのままFace IDによりすぐロックが解除される。さらに何かキーを押すだけでホーム画面が開く。

4 | ソフトウェア キーボードも使える

タップ

アクセント記号付きの文字を入力したい場合などは、ソフトウェアキーボードを使ったほうが便利。外部キーボード使用中に表示されるメニューバーのキーボード切り替えボタンをタップし、「キーボードを表示」をタップして表示しよう。

ここまで紹介したように、Apple純正のiPad専用キーボードは非常に洗練された製品だが、いかんせん高価。特にトラックパッド付きのMagic Keyboardは3万円以上もする。また、古いモデルのiPadにはそもそも対応していない。もっと手頃な価格でiPad向けのキーボードを使いたいなら、サードパーティー製のiPad対応キーボードに目を向けてみよう。Bluetooth接続で、Magic Keyboardの対応モデル以外でもトラックパッドを使えるサンワダイレクトの製品は、5,000円以下と価格もお手頃。また、トラックパッドが不要なら、軽量でコンパクトなAnkerのBluetoothキーボードがオススメだ。

サードパーティー製のiPad向けおすすめキーボード

Magic Keyboard非対応のiPadでもトラックパッドを使いたい場合は、お手頃価格で気軽に試しやすいこのBluetoothキーボードがおすすめ。3台の機器をワンタッチで切り替えできる、マルチペアリング機能も搭載している。

**サンワダイレクト
タッチパッド付きBluetooth
キーボード 400-SKB066**
実勢価格／4,980円（税込）

**Anker
ウルトラスリム
Bluetooth ワイヤレス
キーボード**
実税価格 2,000円（税込）

iPadOS、iOS、Android、Mac、Windowsとマルチデバイスに対応する、軽量コンパクトなキーボード。ただしUSキーボードなので、日本語キーボードとは少しキー配列が違う点に注意。

仕事効率をアップする
専用キーボードのショートカット

iPad専用キーボードをもっと便利に使いこなそう

　せっかくiPad専用キーボードを使うなら、ショートカットキーも使いこなして仕事の能率アップを図りたい。「command + C」でコピーしたり、「command + V」でペーストするといった、パソコンでも定番のショートカットキーに加えて、「⊕（地球儀キー） + H」でホーム画面へ移動するなど、iPadならではのショートカットキーを利用できる。マルチタスクやSplit View、Slide Overなどの操作、Safariやメールなど主要なアプリにも、それぞれ個別のショートカットキーが割り当てられているが、これらをすべて覚えておく必要はない。⊕（地球儀キー）を長押しすればシステム全体のショートカットキーが一覧表示され、commandキーを長押しすれば起動中のアプリのショートカットキーが一覧表示される。操作に迷ったら、とりあえずこの2つのキーを長押ししてみよう。

⊕（地球儀キー）を長押しする

iPad専用キーボードの地球儀キーを長押しすると、システム全体のショートカットキーが一覧表示され、各操作に割り当てられたキーをすぐに確認できる。

commandキーを長押しする

アプリを起動した状態で、iPad専用キーボードのcommandキーを長押しすると、このアプリで使えるショートカットキーが表示される。

代表的なキーボードショートカットを覚えておこう

システム

ショートカット	動作
⊕ + H	ホーム画面へ移動
command + 空白	検索
command + Tab	Appを切り替える
⊕ + A	Dockを表示
Shift + ⊕ + A	Appライブラリを表示
⊕ + Q	クイックメモ
⊕ + S	Siri
⊕ + C	コントロールセンター
⊕ + N	通知センター

マルチタスク

ショートカット	動作
⊕ + ↑	Appスイッチャー
⊕ + ↓	すべてのウインドウを表示
⊕ + ←	前のApp
⊕ + →	次のApp

Split View

ショートカット	動作
control + ⊕ + ←	ウインドウを 左側にタイル表示
control + ⊕ + →	ウインドウを 右側にタイル表示

Slide Over

ショートカット	動作
option + ⊕ + ←	左のSlide Over に移動
option + ⊕ + →	左のSlide Over へ移動

Safari

ショートカット	動作
command + T	新規タブ
Shift + command + N	新規プライベート タブ
command + W	タブを閉じる
command + F	ページを検索
Shift + command + L	サイドバーを非表示
command + R	ページを 再読み込み
Shift + command + T	最後に閉じた タブを開く

メール

ショートカット	動作
command + N	新規メッセージ
option + command + F	メールボックス を検索
control + command + A	メッセージを アーカイブ
command + R	返信
Shift + command + R	全員に返信
Shift + command + F	転送
Shift + command + L	フラグ

メモ

ショートカット	動作
command + N	新規メモ
command + Z	取り消す
command + X	カット
command + C	コピー
command + V	ペースト
command + return	編集を終了
⊕ + D	音声入力
⊕ + E	絵文字

持ち歩かないならMac用Magic Keyboard+スタンドがおすすめ

じっくりテキスト入力するためのベストな組み合わせ

　iPad専用キーボードは本体のカバーも兼ねているので、iPadを普段持ち歩くならベストな製品だ。ただし、パソコンの一般的なキーボードに比べると、キーストロークが浅く打鍵感も軽いので、じっくり長文を入力するとどうしても疲れてしまう。もし、iPadを会社や自宅に置きっぱなしで持ち歩かないのであれば、キーボードはApple純正の（iPad専用ではない）「Magic Keyboard」を使うのも一つの手だ。Touch IDを搭載したAppleシリコン搭載Macモデル用のMagic KeyboardはiPadに非対応だが、Touch ID非搭載のMagic Keyboardであれば、iPadでも問題なく利用できる。iPad専用キーボードよりも打鍵感がしっかり感じられ、一度ペアリングを済ませれば、キーボードの電源を入れるだけで自動的に接続されるので、手間もかからない。タブレットスタンドを組み合わせて使えば、iPadでも快適な文字入力環境を実現できる。もちろんショートカットキーも利用可能だ。

Magic KeyboardをiPadに接続する

接続設定は
最初の1回だけ!

タップして接続

Magic Keyboardの電源を入れたら、iPadの「設定」を開いて「Bluetooth」をタップ。一覧の下の方にキーボード名が表示されるので、タップすれば自動的にペアリングされて接続される。

Magic Keyboardとタブレットスタンドを用意しよう

**Apple
Magic Keyboard**
価格 10,800円(税込)

Apple純正のワイヤ
レスキーボード。
Lightningケーブル
で充電することがで
き、1回の充電で1
カ月は駆動可能だ。

**Apple
Magic Keyboard（テンキー付き）**
価格／13,800円(税込)

Magic Keyboardに、テンキーや矢
印キーを追加したモデル。キーボード
の幅は一回り大きくなるが、入力の快
適さを優先するならこちらがおすすめ。

**UGREEN
タブレットスタンド**
実勢価格 1,200円(税込)

折りたたみが可能なコンパクトな
卓上タブレットスタンド。iPadを立
てかけて、キーボードを接続すれ
ば、ノートパソコンのように使える。

使いこなし
ヒント

キーボードは自分の使いやすいものでもOK

もし、Magic Keyboard以外にお気に入りのキーボードがある場合は、それをiPadに接続し
て使ってもOK。キー配列がMac用であれば、たいていのキーボードがそのまま利用できる。
USBキーボードでも変換アダプターを介せば接続可能だ。

Apple Pencilを使って
手書きで文字入力

手書き文字をテキスト変換できるキーボードアプリ

　iPadの画面で文字入力がし辛いなら外部キーボードを使う方法もあるが、そもそもキーボードによるタイピングが苦手という人は、手書きでメモしよう。ただし手書き入力のメモをそのまま保存すると、あとからメモの内容をキーワード検索したり、他人に読みやすい形で共有することが難しい。そこで、手書きで入力した文字をテキストに変換してくれるキーボードアプリ、「mazec」を利用しよう。Apple Pencilのスクリブル機能（P28で解説）を使っても、Bearなどの対応アプリで手書きした文字を自動的にテキスト化できるが、スクリブル機能は少しペンが止まるとすぐに入力されてしまうし、変換候補も選択できない。mazecなら、どんなアプリでも手書きが使えて、誤認識された文字の修正や再変換も行え、少々の乱筆やクセ字でもしっかりテキスト変換してくれる。

mazecの初期設定を行う

1 | mazecを新しいキーボードとして追加する

タップ

mazecをインストールしたら、「設定」→「一般」→「キーボード」→「キーボード」→「新しいキーボードを追加」→「mazec」をタップして追加。さらにキーボード一覧に追加された「mazec」をタップして、「フルアクセスを許可」をオンにしておこう。

2 | キーボードからmazecを呼び出す

mazecを利用する際は、文字入力できる場所をタップしてキーボードを表示しよう。地球儀ボタンを数回タップ、またはロングタップして切り替えが可能だ。

mazec
作者 MetaMoJi Corporation
価格 1,100円

mazecで手書き文字を日本語変換する

1 | Apple Pencilを使ってmazecで文字入力する

手書きでスラスラ変換できる

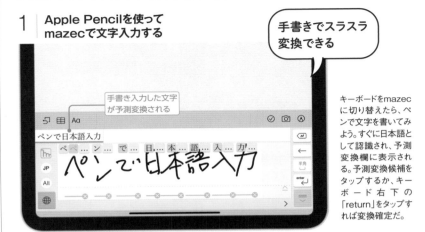

手書き入力した文字が予測変換される

キーボードをmazecに切り替えたら、ペンで文字を書いてみよう。すぐに日本語として認識され、予測変換欄に表示される。予測変換候補をタップするか、キーボード右下の「return」をタップすれば変換確定だ。

2 | 区切りが誤認識されたら文字間隔を調整する

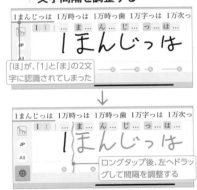

「ほ」が、「1」と「ま」の2文字に認識されてしまった

ロングタップ後、左へドラッグして間隔を調整する

文字の区切りが間違って認識されたら、調整したい場所をロングタップし、ギザギザの区切り線を左右にドラッグ操作して文字の間隔を調整してみよう。

3 | 「…」をタップして別の変換候補を選び直す

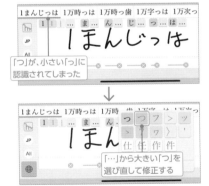

「つ」が、小さい「っ」に認識されてしまった

「…」から大きい「つ」を選び直して修正する

文字自体が誤認識されている場合は、文字の上に表示される「…」をタップ。別の変換候補を選び直してみよう。

使いこなしヒント

「Apple Pencilで手書き」を設定する

mazecは、指でも反応するため、ペン入力しているときに指が画面に当たって誤動作することがある。Apple Pencilを使っていて指の反応を無効にしたいときは、mazecのアプリを起動して、「設定」→「Apple Pencil」→「Apple Pencilで手書き」をオンにしておこう。

ユーザ辞書を使いこなして
文字入力を効率化しよう

よく使う定型文や固有名詞などを辞書に登録する

　iPadOSには、「ユーザ辞書」という機能が搭載されている。これは、文字入力時の予測変換に表示される単語を自分で辞書登録しておける機能だ。このユーザ辞書では、変換しにくい単語を「よみ」とセットで登録しておくのが基本。単語以外の長い文章も登録できるので、メールの挨拶文などを登録しておくことも可能だ。たとえば、単語に「よろしくお願いいたします」、よみに「よろ」と辞書登録しておけば、メール入力時に「よろ」と入力するだけで、すぐさま「よろしくお願いいたします」に変換できるようになる。なお、ユーザ辞書はiPhoneなどほかのAppleデバイスと同期が可能だ（iCloud Driveがオンになっている必要がある）。

よく使う「単語」と「よみ」を登録しよう

| 単語 | 雲母坂 | ●──[辞書に登録する単語や文章を入力] |
| よみ | きららざか | ●──[単語に変換させる「よみ」を入力] |

単語を登録しておくと、そのよみを入力した際に登録した単語が変換候補に表示されます。

ユーザ辞書は、「単語」と「よみ」をセットで登録する。具体的な設定方法は、右ページの解説をチェックだ。

ユーザ辞書の単語とよみの登録例

登録例	単語	よみ
メールアドレス	xxxxx@xxxxx.com	めーる
よく使う固有名詞	株式会社●●●●プランニング	かいしゃ
変換できない名前	希星	きらら
メールの挨拶文1	いつも大変お世話になっております。株式会社●●の●●です。	いつおせ
メールの挨拶文2	お忙しいところ大変恐縮ですが、何卒よろしくお願いいたします。	おいそが

よく使うメールアドレスや固有名詞、挨拶文なども辞書登録しておけば、効率的な文章入力が行える。

ユーザ辞書を登録してみよう

1 ユーザ辞書の設定画面を表示する

単語を新規登録

ユーザ辞書を登録するには、まず「設定」→「一般」→「キーボード」→「ユーザ辞書」をタップ。画面右上の「+」ボタンをタップしよう。

2 単語とよみを登録する

単語とよみを入力して「保存」をタップ

単語の登録画面になるので、「単語」に登録したい単語や文章、「よみ」にその単語のよみを入力する。「保存」で単語の辞書登録が完了だ。

3 予測変換から呼び出してみよう

よみを入力後、予測変換候補をタップして入力

よろしくお願いいたします

メールアプリなどを起動したら、単語登録したよみを文字入力する。予測変換候補に登録した単語が表示されるので、タップして入力しよう。

使いこなしヒント ユーザ辞書から単語を削除する

左にスワイプして「削除」をタップ

ユーザ辞書から単語を削除するには、「設定」→「一般」→「キーボード」→「ユーザ辞書」をタップして、単語一覧画面を表示。削除したい単語を左にスワイプすると、赤い「削除」ボタンが表示されるのでタップしよう。

覚えておくと便利な
文字入力の機能と操作
iPadの文字入力を快適にするためのテクニック

　iPadのソフトウェアキーボードでは、パソコンのようにショートカットキーを使って操作を短縮することはできない。代わりに、面倒な操作を簡単に行えるようになる、さまざまな便利機能が用意されている。例えば、テキストの誤字はいちいち削除してから入力し直さなくても、選択するだけで他の候補に再変換できる。カーソルの位置をうまく合わせられなくてイライラしている人は、カーソルを拡大すれば、好きな位置にスムーズに移動させることができる。iPhoneのフリック入力に慣れているなら、iPadのキーボードもフリック入力モードに切り替えて使うと便利だ。これらのテクニックを知っているか知らないかで、iPadでの作業効率はずいぶん変わってくるので、ぜひ覚えておこう。

文字は確定後でも再変換できる

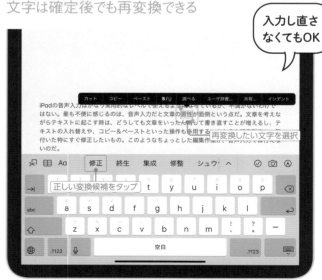

入力し直さなくてもOK

入力確定後に見つけた誤字は、一度削除して入力し直さなくても再変換ができる。まず誤字の部分をロングタップして選択状態にしよう。すると、キーボード上部に他の変換候補が表示される。正しい変換候補をタップすれば、選択した文字が再変換される。

長文の途中で一度変換させる

1 変換を区切りたい 箇所をタップ

区切りたい位置に カーソルを合わせる

長文を入力していておかしな変換になった時は、セ ンテンスごとに区切って変換すればよい。まず変換 を区切りたい箇所をタップしてカーソルを合わせる。

2 区切った箇所 までを変換できる

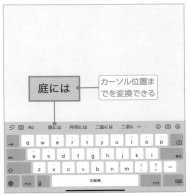

カーソル位置ま でを変換できる

すると、タップした箇所までを一つの文章として、変 換候補が表示される。このように細かく区切って変 換していけば、正しい漢字に変換できる。

日付や時刻を素早く入力する方法

1 「きょう」と入力して 今日の日付に変換する

「きょう」で今日の日付 を候補から入力できる

日付を入力したいときは、「きょう」や「きのう」「あし た」と入力してみよう。今日や昨日の日付が変換候 補に表示され、タップして素早く入力できる。

2 数字を入力して日付や 時刻に変換する

「915」で9時15分や9月15 日を候補から入力できる

日本語キーボードで数字を入力しても、日付や時刻 に変換できる。たとえば「915」と入力すると、9時 15分、9/15、9月15日などが候補に表示される。

ドラッグ&ドロップでテキストを移動、別アプリにコピー

1 | テキストを選択してロングタップ

テキストを選択してロングタップすると、テキストが浮かび上がり、そのまま指でドラッグ&ドロップすれば、好きな位置に移動できる。メニューからカット&ペーストで操作するよりも楽だ。

2 | そのまま別のアプリにもコピーできる

ロングタップしたテキストは、さらに別アプリにもコピーできる。他の指でホーム画面に戻り、テキストを貼り付けたい別のアプリを起動したら、貼り付けたい位置にドラッグして指を離そう。

カーソルをスイスイ動かすテクニック

1 | カーソルをロングタップして拡大する

カーソルをロングタップすると、カーソルのある位置が上部に拡大表示される。拡大表示したままカーソルを左右にドラッグできるので、挿入位置を正確に確認しながらカーソルを動かすことが可能だ。

2 | 2本指でカーソルを高速に動かす

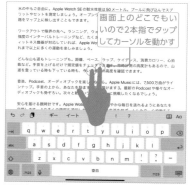

画面上に2本の指を置いてドラッグしても、カーソルが拡大表示されスムーズに動かせる。カーソルを直接ドラッグするより、こちらの方がより高速にカーソルを動かせるので、使い分けて操作しよう。

文章を素早く選択、編集する

1 複数回タップで文章を効率よく選択する

> 2回タップすると、タップした位置の単語が範囲選択される

文章を素早く選択したい時は、複数回タップするといい。2回タップすると、タップした位置の単語が範囲選択される。3回タップで段落全体を選択。また2本指で2回タップすると、句点（。）で区切られた文章を選択できる。

2 3本指ジェスチャーで文章を素早く編集する

> 3本指でピンチインすると選択した文字をコピーできる

文章を素早く編集するには、3本指ジェスチャーが便利。3本指でピンチインすると選択した文字がコピーされ、2回連続ピンチインでカットできる。また、3本指でピンチアウトすると貼り付け、左にスワイプすると取り消し、右にスワイプするとやり直し操作が可能だ。

フリック入力をiPadでも利用する

1 キーボードの画面をピンチインする

> キーボードの画面上をつまんでピンチイン

iPadでもフリック入力を使いたいなら、あらかじめ「日本語ーかな」キーボードを追加した上で、キーボードの画面上をピンチインしよう。

2 「日本語かな」に切り替える

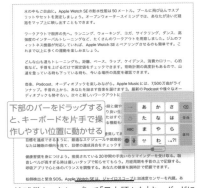

> 下部のバーをドラッグすると、キーボードを片手で操作しやすい位置に動かせる

地球儀キーをタップして「日本語かな」キーボードに切り替えると、iPhoneのようにフリック入力できるようになる。元のフルキーボードに戻すには、キーボードの画面上をピンチアウトすればよい。

長文入力にも利用できる
高精度の音声入力機能

キーボードより高速で入力することも可能

　iPadでのタイピングが苦手という人は、手書き入力だけでなく、音声入力の快適さもぜひ知ってもらいたい。やたらと人間臭い反応を返してくれる「Siri」の性能を見れば分かる通り、これまでのバージョンアップで培われた技術によって、iPadOSの音声認識はかなり精度が高くなっている。喋った内容はリアルタイムでテキストに変換してくれるし、自分の声をうまく認識しない事もほとんどない。メッセージの簡単な返信や、ちょっとしたメモに便利なだけでなく、長文入力にも十分対応できる実用的な機能なのだ。端末に話しかけるという行為には少々気恥ずかしさがあるだろうが、会社や人前で音声入力を使わなくても、自宅や出張先のホテルでの作業に限定すれば何も問題ない。ただし、音声で句読点や記号を入力するには、それぞれに対応したワードを声に出す必要がある。また、音声入力時は変換候補から選択できないし、削除やコピー&ペーストといった操作もできない。このあたりは少し慣れが必要だ。

iPadで音声入力を利用するには

1 設定で「音声入力」をオンにしておく

まず「設定」→「一般」→「キーボード」をタップして開き、「音声入力」のスイッチをオンにしておこう。

2 マイクボタンをタップする

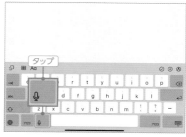

キーボードにマイクボタンが表示されるようになるので、これをタップすれば、音声入力モードになる。

音声入力の画面と基本的な使い方

音声でテキストを入力していこう

マイクに話しかけると、ほぼリアルタイムでテキストが入力される。句読点や主な記号の入力方法は下にまとめている。

句読点や記号を音声入力するには

読み		記号
かいぎょう	→	改行
たぶきー	→	スペース
てん	→	、
まる	→	。
かぎかっこ	→	「
かぎかっことじ	→	」
びっくりまーく	→	！
はてな	→	？
なかぐろ	→	・
さんてんリーダ	→	…
どっと	→	.
あっと	→	＠
ころん	→	：
えんきごう	→	￥
すらっしゅ	→	／
こめじるし	→	※

キーボード画面に戻るには

元のキーボード入力画面に戻るには、音声入力の画面内を一度タップするか、右下のキーボードボタンをタップすればよい。

使いこなし
ヒント

iPadではGoogle音声入力が使えない

以前はキーボードアプリ「Gboard」を使うことで、iPadでもGoogle音声入力を利用できたのだが、原稿執筆時点ではマイクボタンが消え使えなくなっている。また、Google音声入力は改行する場合の言い回しなども独特なので、どちらにしてもiPadOS標準の音声入力の方が使いやすい。

誤入力された文字を再変換する

音声入力を終えて一度キーボード画面に戻ると、誤入力と判断された箇所に青いラインが引かれる。これをタップすると、複数の候補から選択して、再変換できる。

誤入力と判断された箇所だけ変換候補を手動選択できる

連絡先を音声入力の辞書代わりに使う裏技

1 | 連絡先アプリで 性とフリガナを入力

ここでは、メールアドレスの読みを「ジタクメール」にする

音声入力時は自分で変換候補を選ばず、ユーザ辞書に登録した単語も反映されない。そこで連絡先アプリを使った裏技がおすすめ。まずは「性」に単語、「性(フリガナ)」に読みを入力しよう。

2 | 音声入力で連絡先の 単語に変換される

「ジタクメール」と話すとメールアドレスが入力される

音声入力で、「性(フリガナ)」に入力した読みを話すと、「性」の単語に変換されるようになる。

音声入力の言語を追加する

1 | キーボードを追加しておく

日本語以外の言語で音声入力したい場合は、まず「設定」→「一般」→「キーボード」→「キーボード」で、「新しいキーボードを追加」をタップし、追加したい国の言語をタップしよう。

2 | 音声入力言語を追加する

音声入力に使う言語にチェックしておく

続けて「設定」→「一般」→「キーボード」→「音声入力言語」をタップ。キーボードを追加済みで音声入力にも対応している言語が表示されるので、音声入力に使いたい言語をチェックしておこう。

使いこなしヒント

音声入力を外国語の発音チェックに使う

音声入力言語に外国語を追加していると、音声入力画面の左下にある地球儀ボタンをタップすることで、音声入力言語を切り替えることができる。例えば英語キーボードに切り替えれば、英語で話しかけて英文入力が可能だ。ただし発音が正確でないと、正しい文章を入力してくれない。これを利用して、外国語の発音トレーニングに利用しよう。

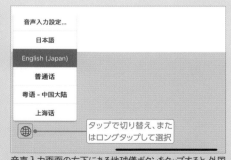

タップで切り替え、またはロングタップして選択

音声入力画面の左下にある地球儀ボタンをタップすると、外国語の音声入力モードに切り替えできる。発音が正しくないと正しい文章が入力できず、句読点などもその言語での入力が必要。

音声入力の文章をリアルタイムにキーボードで修正

Googleドキュメントを使った最速編集テクニック

　P110で解説した通り、iPadの音声入力はすでに実用的なレベルに達しているが、不満点もある。最も大きな問題は、音声入力だと文章の編集が面倒という点だ。誤字脱字の修正や、テキストの入れ替え、コピー&ペーストといった操作を音声で行えないため、いちいちキーボード入力に切り替える必要がある。そんな問題を解消してくれるのが、Googleドキュメントと音声入力の連携技。iPadとパソコンで同じGoogleドキュメントの画面を開いておけば、iPadに喋ってテキストを音声入力すると、ほぼリアルタイムでパソコンの画面にも同じ文章が表示される。つまり、iPadではテキストを音声入力しながら、パソコンのキーボードで句読点や改行を入力したり、誤字脱字も即座に修正できるのだ。この方法なら、長文入力も苦にならない音声入力の快適さを損なわずに、修正が必要な文章も素早く編集できてストレスを感じさせない。

使いこなし
ヒント

パソコンにマイクがあってもiPadと連携させたほうがスムーズ

パソコンにマイクがあるなら、わざわざiPadを使わなくても、ChromeでGoogleドキュメントにアクセスすることで、Google音声入力で入力しながらリアルタイムでの修正が可能だ。ただパソコンの環境にもよるが、音声入力のテンポが悪く、変換が確定するまでのタイムラグが長くなることがある。音声入力は、iPadとパソコンのGoogleドキュメントを連携させたほうがスムーズだ。

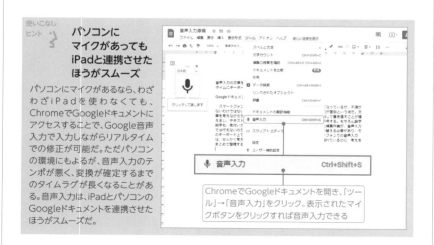

ChromeでGoogleドキュメントを開き、「ツール」→「音声入力」をクリック。表示されたマイクボタンをクリックすれば音声入力できる

iPadとパソコンで同じGoogleドキュメントを編集

Googleドキュメント https://docs.google.com/document/

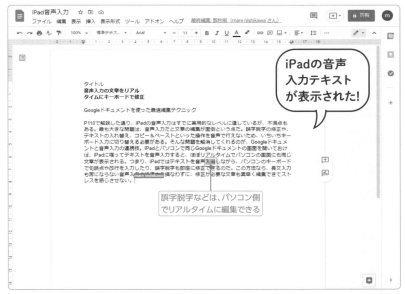

iPadの音声入力テキストが表示された!

誤字脱字などは、パソコン側でリアルタイムに編集できる

iPadのGoogleドキュメントで音声入力したテキストは、パソコンのGoogleドキュメントにもリアルタイムで表示されていく。誤字脱字や差し替え箇所があれば、iPadに喋りながらでもパソコン側ですぐに修正できる。なお、iPadの音声入力は変換候補から選択できないため、同じ単語が常に同じように誤変換される。このような単語は、パソコンのGoogleドキュメントの置換機能でまとめて修正した方が早い。

↓

パソコンの修正が反映された!

iPadでGoogleドキュメントアプリを開き、音声入力でテキストを入力していこう。入力ミスした箇所は、パソコン側で開いた同じGoogleドキュメントの画面で、すぐに修正できる。

Google ドキュメント
作者 Google LLC
価格 無料

録音した音声を
テキストに文字起こしする

会議を録音して自動でテキスト化できる

　会議内容をまとめるのに便利なのが、録音した音声を自動でテキスト化してくれる文字起こしアプリ。特に「Notta」は音声の認識精度が高く、104言語に対応し、句読点も自動で挿入され読みやすい。会話の区切りなどで自動的に文節が分かれるので、あとから聞き直したいときにも該当箇所を探しやすく、非常に使いやすいアプリだ。ただ、声が遠いと認識ミスが増え、複数人で同時に話すと会話がひとつにまとめられることもあるため、あとから手動での修正は必要。なお無料会員だと、文字起こしできるのは1ヶ月に120分までで、文字起こしできるのもリアルタイムで録音した音声のみ。1,500円／月から用意されているプレミアム会員になると、文字起こしは1ヶ月1,800分までとなり、音声や動画ファイルからの文字起こしにも対応するほか、文字起こし結果を42言語に翻訳できる。またWeb版のNotta Botを利用して、ZOOM会議の自動文字起こしも可能だ。

1 | 録音開始を
タップする

Notta
作者／Langogo
Technology Co., Ltd.
価格／無料

アプリを起動したら、画面下部の「＋」→「録音開始」をタップしよう。音声の録音が開始される。

2 | 録音した音声が
テキスト化される

録音された音声が自動的に文字起こしされていく。画面下部のボタンで、録音を停止して保存できる。

オフィス
文書
の仕事技

オフィス文書を扱う際は
どのアプリを使うべきか?

用途に応じてオフィスアプリを使い分けてみよう

　iPadOSでは、MicrosoftやGoogle、Appleといった3大企業のオフィスアプリ（下記表参照）が利用できる。普段仕事でMicrosoftのOfficeを扱っている人は、基本的にMicrosoftのオフィスアプリを導入しておけば間違いない。ただ、用途によってはGoogleやAppleのオフィスアプリを使う方が効果的な場合もある。そこで本記事では、各アプリの特徴やそれぞれのメリット・デメリット、用途に応じたアプリの使い分け方などを簡単に紹介していこう。

iPadで扱える3大企業のオフィスアプリ

	Microsoft	Google	Apple
文書作成	Microsoft Word	Google ドキュメント	Pages
表計算	Microsoft Excel	Google スプレッドシート	Numbers
スライド作成	Microsoft PowerPoint	Google スライド	Keynote
メリット／デメリット	◎ パソコン版Officeとの互換性が高い ◎ OneDriveでファイルを同期できる ✕ 機種によっては無料だと編集機能が使えない	◎ 誰でも無料で使え、端末の種類も問わない ◎ ファイル共有や共同作業機能は最も優秀 ✕ 複雑なレイアウトの書類などは作りづらい	◎ iPadに最適化されているので使いやすい ◎ 見栄えのするレイアウトを作りやすい ✕ ほかのオフィスアプリとの互換性が低い
概要	普段Microsoftのオフィスアプリを使っている人向け。OneDriveが使えるので、Windowsとの相性も良い	どんな環境でも汎用的に使えるのが魅力。複数のユーザーでファイルを共同編集したいときにも便利だ	iPadでササッと見栄えのよい書類を簡単に作れるのが特徴。Apple製品だけあって、iPadでも使いやすい

「オフィスアプリなんてどれを使っても同じ」、「Microsoft系のアプリがあれば十分」というのは大きな間違いだ。詳しくは次ページから解説していくが、それぞれの特徴を踏まえつつ、用途ごとに使い分けてみよう。

Microsoft製オフィスアプリの特徴

WordやExcel、PowerPointのファイルを、iPadでも閲覧および編集したいという人は、Microsoft純正のアプリを使うのがベスト。他社製のオフィスアプリでは互換性が低いため、取引先とファイルをやり取りする目的に使うのはかなり危険だ。なお、Microsoftのオフィスアプリは、画面サイズが10.1インチ以下のデバイス（iPad miniや9.7インチの旧iPadなど）なら無料で使えるが、それ以上のデバイスは有料の「Microsoft 365」に加入しないと編集機能が使えない。

Microsoft Word
作者 Microsoft
Corporation
価格 無料

文書作成アプリとして最も有名なWord。iPadアプリでは、マクロの実行など一部の機能を除き、パソコン版とほぼ同じ機能が使える。Officeの互換フォントが導入されるので、パソコン版と見た目が大幅に変わることも少ない。

Microsoft Excel
作者 Microsoft
Corporation
価格 無料

数式や関数、グラフなど、パソコン版のExcelにある主要機能はほぼ搭載。ピボットテーブルやワードアートなど一部機能は表示のみの対応となる。

Microsoft PowerPoint
作者 Microsoft
Corporation
価格 無料

スライドの作成や再生を行うアプリ。企画書作成などで使っている人も多い。iPadアプリなら、互換性も高く、パソコンのファイルをそのまま開ける。

Google製オフィスアプリの特徴

　Googleドキュメントやスプレッドシートなどは、Googleアカウントさえあれば、誰でも無料で使うことができるという強みがある。また、ファイルはGoogleドライブ経由で自動で同期され、どんな端末でもシームレスに利用可能というのも特徴だ。書類を他人と共有したり、チームメンバーと共同編集したりも簡単。AI機能で書類に最適な画像やグラフを提案してくれる「データ探索」など、他のオフィスアプリにはない先進的な機能も搭載されている。

Google ドキュメント
作者 Google LLC
価格 無料

Googleの文書作成アプリ。Wordと同じような感覚で、テキストや画像のレイアウトができる。iPad版アプリの場合、文字中心のシンプルな書類を作るのに向いている。

Google スプレッドシート
作者 Google LLC
価格 無料

表計算アプリ。Excelと同じようにグラフや関数なども扱える。チームメンバーでデータ入力や確認を共同で作業するといった用途に最適。

Googleスライド
作者 Google LLC
価格 無料

スライド作成アプリ。これに関しては、PowerPointやKeynoteのほうが便利なので、あまり使うメリットはないかもしれない。

Apple製オフィスアプリの特徴

　Apple製のオフィスアプリは、AppleがiPad用に最適化しているだけあって、最も直感的に編集作業が行える。iPadOS標準の「ファイル」アプリとの連動も完璧で、iCloud Driveや他社のクラウドサービス上にある画像をすぐに貼り付けることが可能だ（他社のオフィスアプリだと、iPad内の画像しか読み込めない）。また、レイアウトの自由度が高く、書類を見栄え良く仕上げやすいのも特徴。iPadだけで企画書やプレゼン資料をサッと作りたいなら、おすすめのアプリだ。ただし、他のオフィスアプリとの互換性が低いので、取引先とのやりとりには向かない。

Pages
作者 Apple
価格 無料

Numbers
作者 Apple
価格 無料

Keynote
作者 Apple
価格 無料

Appleの文書作成アプリ。凝ったレイアウトの書類を作りたいときに最適。写真をファイルアプリから取り込めるのも便利だ。

表計算アプリ。表をオブジェクトとして扱うため、自由なレイアウトができる。ただ、独特な仕様なので、ほかのアプリとの互換性は低い。

シンプルで使いやすいスライド作成アプリ。Apple Pencilとの相性が良く、スライド再生中に手書きメモを描画できる。

使いこなし
ヒント

各アプリでの
ファイル互換性について

GoogleおよびApple製のオフィスアプリで作成したファイルは、Microsoftのオフィスファイル形式に変換することができる。ただ、変換したファイルをMicrosoftのオフィスアプリで開くと、レイアウトがずれたり、一部機能が使えなくなったりなどの問題が発生する。互換性は完璧ではないので注意しよう。

> レイアウトが少しずれてしまう……

Pages　Word

互換性重視ならiPad版の WordとExcelを使おう

取引先とオフィスファイルをやり取りするならコレ一択

　　Microsoft製のiPad版Officeアプリを使う最大のメリットは、ファイルの互換性を保ちやすい、という点だ。他社製のオフィスアプリでも、WordやExcelのファイル形式を開くことができるが、一部のレイアウトが崩れたり、データが表示されなかったりする。仕事で使うのであれば、やはりファイルの互換性を保てるiPad版Officeを利用しておきたい。また、iPad版Officeは、機能や操作がiPad向けに最適化されており、パソコン版よりもシンプルで直感的に扱えるようになっているのもポイント。そこで本記事では、iPad版Officeについての基礎知識や、iPad版WordとExcelの基本的な使い方などを解説していく。

iPad版ならではの操作で快適に編集できる

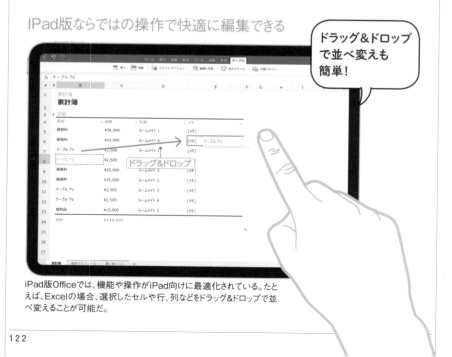

ドラッグ&ドロップ で並べ変えも 簡単!

iPad版Officeでは、機能や操作がiPad向けに最適化されている。たとえば、Excelの場合、選択したセルや行、列などをドラッグ&ドロップで並べ変えることが可能だ。

iPad版では使えない機能が一部ある

　iPad版Officeとパソコン版Officeでは、完全に同じ機能が使えるわけではない。パソコン版にある一部の高度な機能は、iPad版だと省かれているのだ。たとえば、マクロ機能はiPad版だと利用できず、マクロが埋め込まれたファイルを開いてもiPad版では実行できない。また、Excelのピボットテーブルは、iPad版だと新規作成することはできない。ただし、ピボットテーブルが使われたExcelファイルはiPad版でも開くことができ、ピボットテーブル自体を操作することも可能だ。詳しくは以下の表をチェックしてほしい。

ピボットテーブル機能は、iPad版でも表示が可能だが、新規作成はできない。

アプリ		iPad版で使えない主な機能
Word	スタイル	スタイルは適用可能だが、追加やカスタマイズは不可
	各種オブジェクトの挿入	表や画像、図形、テキストボックス、アイコンなどは使用可能。SmartArtやグラフなど一部のオブジェクトは表示のみの対応で挿入は不可
	文末脚注、引用文献、キャプション、目次など	表示は可能だが、追加や更新は不可
	校閲機能	スペルチェックは利用できるが、校正などはできない
	マクロ	マクロは実行できない
Excel	データの並べ替え、フィルター処理	通常の並べ替えやフィルター機能は使える。スライサーやタイムライン機能には未対応
	ピボットテーブル	既存のピボットテーブルを操作することは可能。ピボットテーブルの新規作成はできない
	条件付き書式、データ入力規則、外部データ機能	表示は可能だが、追加や更新は不可
	マクロ	マクロは実行できない

Wordの基本的な操作方法

1 ドキュメントを新規作成する

テンプレートを選ぶ

アプリを起動したらMicrosoftアカウントでサインインして、左上の「＋」ボタンをタップ。新規ファイルを作成しよう。テンプレートを選ぶことも可能だ。

2 テキストを入力して書式を設定する

Office互換フォントはダウンロードして使える

文字のサイズやフォントなどは、パソコン版と同じく「ホーム」タブで設定する。Officeの互換フォントはダウンロードして利用可能。

3 文書に画像や表などを追加する

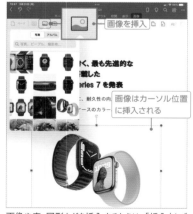

画像を挿入

画像はカーソル位置に挿入される

画像や表、図形などを挿入するときは、「挿入」タブから挿入したいものを選ぼう。画像の場合は、写真アプリ内の写真を読み込むことができる。

使いこなしヒント
用紙のサイズや余白の大きさを設定する

用紙サイズを設定

「レイアウト」タブからは、用紙のサイズや余白の大きさ、印刷の向きなどを設定できる。文書を作り込む前に設定しておこう。

ファイルの保存と印刷を行う

1 | ファイルをOneDriveに保存する

ファイルをOneDriveに保存する

ファイルをOneDriveに保存する場合は、画面右上のオプションメニューボタンから「保存」をタップして保存場所を決めよう。一度保存すればあとは自動保存される。

2 | ファイルを印刷する

「印刷」→「AirPrint」で印刷が行える

ファイルを印刷したい場合は、画面右上のオプションメニューボタンから「印刷」→「AirPrint」を選択。Wi-Fi対応のプリンタと接続することで直接印刷が可能だ。

保存したファイルを共有する

1 | ファイルの共有リンクをコピーする

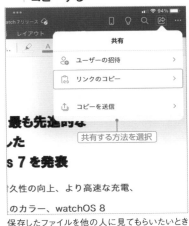

共有する方法を選択

保存したファイルを他の人に見てもらいたいときは、画面右上の共有ボタンから「リンクのコピー」で共有リンクを取得し、メールなどで送信しよう。

2 | 特定の相手と共同で編集することも可能だ

ユーザーを招待すれば、特定の相手だけと共同編集することが可能

特定の相手だけと共同編集したい場合は、「ユーザーの招待」で「編集可能」をオンにして、共有相手を招待すればいい。

Excelの基本的な操作方法

1 スプレッドシートを新規作成する

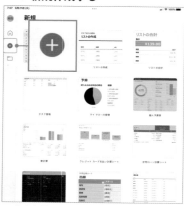

アプリを起動したらMicrosoftアカウントでサインインして、左上の「+」ボタンをタップ。新規ファイルを作成しよう。テンプレートを選ぶことも可能だ。

2 セルをタップしてデータを入力する

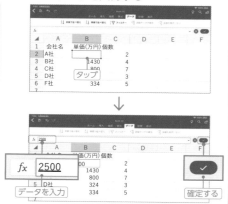

データを入力するには、目的のセルをタップ。画面上にある「fx」欄に文字や数字を入力しよう。Enterキーを押すか、緑色のチェックマークで確定だ。

3 セルに数式を入力して計算させる

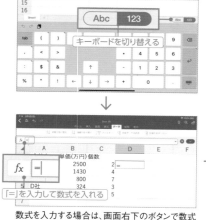

数式を入力する場合は、画面右下のボタンで数式用のキーボードに切り替えると効率的に入力できる。「fx」欄に数式を入力していこう。

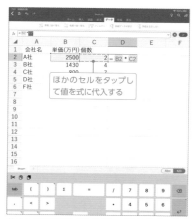

数式入力時にほかのセルをタップすれば、その値を式に代入させることが可能だ。Enterキーを押すか、緑色のチェックマークをタップすると確定される。

オートフィル機能でデータや数式を自動入力する

1 選択したセルをタップして「フィル」を選択

オートフィル（隣接したセルに連続データを自動入力する）機能を使いたい場合は、選択状態のセルをタップして「フィル」を選択しよう。

2 ■マークをドラッグしてオートフィルを実行

■マークをドラッグすると、オートフィルが実行され、連続したデータが入力される。数式の規則性を保ちながら連続入力したい場合に使うと便利だ。

パソコンで作ったファイルをOneDrive経由で開く

1 OneDrive上にファイルを保存しておく

OneDrive
https://onedrive.live.com/

パソコンで作成したオフィスファイルをiPadで開きたいときは、OneDrive経由でやり取りすると便利。パソコンのWebブラウザでOneDriveのサイトにアクセスし、ファイルを保存しておこう。

2 アプリからOneDriveのファイルを開く

iPad側でオフィスアプリを開いたら、画面左端のフォルダボタンをタップ。OneDriveにアクセスして、目的のファイルを開こう。

使いこなしヒント

セルの内容を他のアプリにコピーする際の注意

Excelのセルをコピーして、メモアプリなど他のアプリに貼り付けると、画像として貼り付けられてしまうことがある。セルの内容をコピーしたい場合は、セルを編集状態にしてから文字をコピーしよう。

セルが画像でコピーされる

フル機能を使うにはMicrosoft 365の有料ライセンスが必須

　iPad版Officeの各アプリは無料でインストールできるが、「個人または商用利用」、「使用するiPadの画面サイズ」、「Microsoft 365のライセンスの有無」、といった各条件によって使える機能に違いが出てくる（以下表参照）。フル機能が使えるのは、Microsoft 365のライセンスが紐付いているMicrosoftアカウントでサインインした場合のみ。Microsoft 365のライセンスを持っていない場合は、オフィスファイルの閲覧のみに機能が制限されてしまう（画面サイズが10.1インチ以下なら簡易の編集機能が使える）。なお、買い切り型のMicrosoft Officeを持っていても、iPad版Officeのフル機能は開放されないので注意しよう。

iPad版Officeは画面サイズによって使える機能が変わる

利用形態	iPadの画面サイズ	iPad版Office 無料版	Microsoft 365 アカウント利用時
個人利用	10.1インチ以下 iPad（第6世代）／ iPad mini／iPhoneなど	閲覧＋簡易編集機能 オフィスファイルの閲覧と簡易的な編集機能が使える	閲覧＋すべての編集機能 Microsoft 365を契約している場合は、オフィスファイルの閲覧や編集が可能。機能制限もなく、すべての機能が使える
個人利用	10.2インチ以上 iPad Pro／iPad Airなど	閲覧のみ ファイルの閲覧自体は可能だが、編集作業が行えない	
商用利用	全端末対象	閲覧のみ 商用利用の場合、画面サイズに関わらず編集が行えない。ファイルの閲覧は可能だ	

Microsoft 365主要プランの利用料金（1ユーザーあたり）

利用形態	プラン名	1ヶ月契約※1	1年契約※1
家庭向け	Microsoft 365 Personal	1,284円	12,984円
法人向け	Microsoft 365 Business Basic※2	715円	7,128円
法人向け	Microsoft 365 Business Standard	1,793円	17,952円

家庭向けのプランであれば、「Microsoft 365 Personal」のライセンスでiPad版のフル機能が利用できる。法人向けの場合は、すでに法人で契約しているライセンスなどによって最適なプランが変わるので、詳しくはMicrosoftの公式サイトをチェックしてほしい。

※1／上記表の価格は、Microsoft Storeでの販売価格（税込）。
※2／「Microsoft 365 Business Basic」はデスクトップ版Officeが含まれないプラン。

Microsoft 365ライセンスの購入方法

「Microsoft 365」とは、毎月または毎年、利用料金を支払うサブスクリプション型のサービスだ（旧称「Office 365」）。サブスクリプションを契約したい人は、公式サイト（https://www.microsoft.com/ja-jp/microsoft-365）から購入するか、以下の手順でiPad上から購入しておこう。

1 | 左下にある宝石型の ボタンをタップ

Microsoft 365を契約していないMicrosoftアカウントでiPad版Officeを使用した場合、トップ画面の左下に宝石型のボタンが表示される。まずはこれをタップしよう。

2 | 「無料の月を開始する」を タップする

上記のような画面になるので、「無料の月を開始する」をタップ。1ヵ月の無料期間付きで、Microsoft 365のサブスクリプションが購入できる。

3 | プラン名を タップする

プラン名が表示されるのでタップ。なお、App Storeでは月額払いのみ契約できる。1年契約の支払いにしたい人は、公式サイトから購入すること。

4 | 購入手続きを 済ませる

App Storeの購入画面になるので、問題なければ購入しよう。これで1ヵ月の無料期間が過ぎた後、App Store経由で毎月課金される。

Googleドキュメントと スプレッドシートを使ってみよう

AI機能で最適な画像や書式を提案してくれる

　Googleドキュメントやスプレッドシートは、iPadで文書や表を作りたいときに重宝するオフィスアプリだ。iPad用に提供されている専用アプリを使えば、テキストと画像を並べたシンプルな書類や、簡単な数式を使った表やグラフを手早く作ることができる。ファイルは常にGoogleドライブに同期され、パソコンなどのほかの端末でも閲覧・編集が可能。ファイルの共有や複数人での共同編集にも最適なため（P134参照）、チームメンバーと共有したい情報をまとめておくのにも重宝する。また、Googleのオフィスアプリには、ファイル内容を解析して、最適な画像や書式、グラフ設定などを提案してくれる「データ探索」というユニークな機能がある。これが意外と便利なので、うまく使いこなして説得力のある書類をスピーディに作ってみよう。

どんな端末でも書類を同期・編集できる

Googleドライブ経由で常に同期される

Googleドライブ
https://drive.google.com/

Googleドキュメントやスプレッドシートは、iPadやパソコンなど、さまざまな端末で使うことができる。データはGoogleドライブですぐ同期されるため、いちいち手動でファイルを転送する必要もない。

Googleドキュメントの基本操作

1 | ドキュメントを新規作成する

アプリを起動したらGoogleアカウントでサインインして、右下の「+」をタップ。「新しいドキュメント」で新規ドキュメントに名前を付けて作成しよう。

2 | テキストを入力して書式を設定する

太字、色、行揃えなどの基本的な機能が並ぶツールバー

選択テキストのフォント変更など、詳細設定が行える

テキスト編集機能はWordと同じような感覚で使える。画面上のツールバーで基本的な書式を設定、右上の「A」ボタンで詳細を設定していこう。

3 | 文書に画像や表などを追加する

画像や表、リンクなどを挿入できる

画像はカーソル位置に挿入される

画像や表、リンクなどを挿入するときは、画面右上の「+」ボタンから挿入したいものを選ぼう。画像の場合は、iPad内の写真を読み込むことができる。

4 | 情報収集の助けになる「データ探索」を使う

タップ

データ探索

最適なトピックや画像や提案される

画面右上の「…」から「データ探索」を実行すると、文章の内容を解析し、最適なトピック(検索キーワード)や画像(画像検索)を提案してくれる。

Googleスプレッドシートの基本操作

1 | スプレッドシートを新規作成する

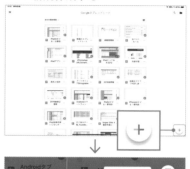

アプリを起動したらGoogleアカウントでサインインして、右下の「＋」をタップ。新規スプレッドシートを作成しよう。テンプレートを選ぶことも可能だ。

2 | セルをダブルタップしてデータを入力する

セルをダブルタップして編集状態にしたら、文字や数字を入力しよう。必要であれば画面上部のツールバーで書式も変更できる。

3 | セルに数式を入力して計算させる

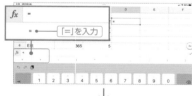

Excelと同じように、セルに「＝」を入力すると、計算が行える。ほかのセルをタップすれば、その値を数式に代入させることも可能だ。

4 | 数式やデータをほかのセルに自動入力する

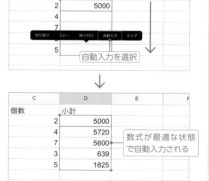

数式やデータが入ったセルを選択して、青枠の右下にある●マークを下にドラッグ。選択状態の青いエリアをタップして「自動入力」を実行すれば、その式やデータが選択したセルに自動入力される。

Googleスプレッドシートで覚えておくと便利な機能

1 選択したセルの合計値を出す

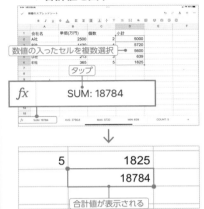

Googleスプレッドシートでは関数も扱える。たとえば、SUM関数（合計値を計算）は、上のようにセルを選択して画面下の「SUM:○○」を選べばいい。

2 セルの枠線や色を設定する

↓

セルの枠線や背景色は、画面上部のツールバーのボタンから変更できる。枠線にはいくつかの種類があり、枠線自体の色も変更可能だ。

3 フィルタを作成してデータを並べ替える

右上の「…」から「フィルタを作成」を選び、セル内のフィルタマークをタップすると、セルを特定の条件で並べ替えたり、抽出表示したりが可能だ。

4 データ探索で表の書式やグラフを自動作成

↓

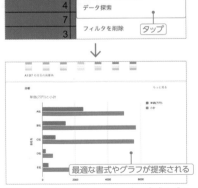

「データ探索」機能を実行すると、表の書式やグラフなどを最適な形で提案してくれる。グラフは数種類から選べ、シートに貼り付けることが可能だ。

複数のユーザーで
書類を作成、編集する

Googleドキュメントとスプレッドシートで共同作業を行う

　社外メンバーを含めたチームで文書や表計算のドキュメントを共同編集したいときは、Googleドキュメントやスプレッドシートを使うのが便利だ。Googleのオフィスアプリであれば、誰でも無料で編集に参加でき、パソコンやスマホなど環境を問わずにアクセスできる。ドキュメントを共有する最も簡単な方法は、共有リンクを発行して、メンバー全員に送るという方法だ。これで、共有リンク知っている人なら誰でも（Googleアカウントを持っていなくても）文書の閲覧や編集を行えるようになる。また、メンバー全員がGoogleアカウントを持っているなら、個別に招待することで参加メンバーを限定することが可能。この場合、メンバーごとにアクセス権を変えることができる。

プロジェクトメンバーで同じファイルを共同編集する

**共同編集で
効率よく
文書を作成**

複数人で共同編集すれば、より効率的にドキュメントを作ることができる。コメントの投稿もできるので、ほかのメンバーに相談しながら作業可能だ。

共有リンクでファイルを共有する方法

1 ファイルを開いて 共有ボタンをタップ

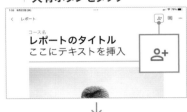

↓

共有したいファイルを開いたら、画面右上の共有ボタンをタップしよう。共有の設定画面が開くので、灰色の人型ボタンをタップする。

2 リンクを知っている 全員に共有を許可する

↓

上の画面になったらリンク設定欄をタップし、「制限付き」から「リンクを知っている全員」に切り替える。続けて右上のリンクボタンをタップすると、共有URLがクリップボードにコピーされる。

3 メールやSNSなどで 共有URLを相手に渡す

あとはメールやSNSなどを使い、共有相手に共有URLを伝えよう。共有URLを知っている人であれば、誰でもファイルを閲覧できるようになる。

誰でも編集できるように アクセス権を変更する

使いこなし ヒント

手順2の画面では、共有URLからアクセスした他のユーザーのアクセス権を設定することができる。共有ユーザー全員にファイルの閲覧だけでなく編集作業も任せたいなら、アクセス権を「編集者」にしておこう。

共有するユーザーを指定して共同作業を行う

1 共有するユーザーのメールアドレスを入力

特定のユーザーだけにアクセス権を与えて共有したい場合は、共有の設定画面で相手のメールアドレス（Googleアカウント）を入力し、アクセス権を決めて招待メールを送信しよう。この場合、相手もGoogleアカウントを所持している必要がある。

2 共有中の相手はどう見える？

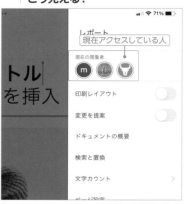

「…」ボタンをタップすると、現在ファイルにアクセスしている共有相手がGoogleアカウントのアイコンで表示される。なお、共有リンクからアクセスした人は匿名用の動物アイコンで表示される。

3 共同でファイルの編集を行おう

編集権を持っているユーザーがファイルを編集すると、その部分はハイライト表示される。他人が編集した内容は、リアルタイムに反映される。

使いこなしヒント ファイルの共有をオフにするには？

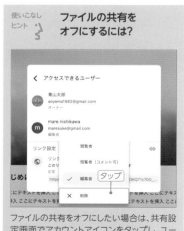

ファイルの共有をオフにしたい場合は、共有設定画面でアカウントアイコンをタップし、ユーザー名をタップして「削除」を実行すればいい。また、リンクの共有をオフにするには、リンク設定欄をタップして「制限付き」に設定しよう。

ほかのメンバーに変更を提案する方法

1 | 「変更を提案」を有効にする

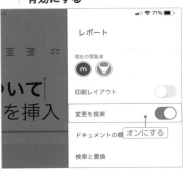

画面右上の「…」から「変更を提案」をオンにして編集を行うと、変更をほかのメンバーに提案する形で編集作業が行える。

2 | 提案について返信や承認を行おう

提案された箇所は打ち消し線などが描かれる。タップして「提案を表示」を実行すれば、他のユーザーと意見を交換したり、変更を承認したりが可能だ。

コメント機能でほかのメンバーとやり取りする

テキストや画像などを選択して「コメントを追加」をタップすると、その場所についてのコメントを投稿できる。コメントは他の共有メンバーが見ることができ、返信も可能だ。

使いこなしヒント
詳細な変更履歴を確認するにはパソコンで操作しよう

ファイル一覧画面で、ファイルごとの「…」から「詳細とアクティビティ」をタップすると、大まかな履歴が表示される。なお、iPad版アプリだとファイルごとの細かい変更履歴は確認できない。変更履歴を詳細にチェックしたい場合は、パソコンのWebブラウザからアクセスしよう。

Pagesで見栄えのよい
企画書や資料を作成する

雑誌風のレイアウトも簡単に作成できる

　テキスト中心のシンプルな文書ではなく、写真や表などを配置した見栄えのよい文書を作りたいのであれば、「Pages」を使ってみよう。同じ文書作成アプリの「Word」とできることは似ているが、Apple製のアプリだけあって目的の操作をストレスなく行える。テキストの基本的な書式設定や行間隔、段組みといった細かな設定も、素早く操作することが可能だ。また、画像挿入時は、ファイルアプリ経由でOneDriveなどの他社製クラウドストレージから画像を読み込める。他社製のオフィスアプリだと、あらかじめ画像をiPad内に保存しておく必要があるが、その手間がなくなるのでかなり便利だ。これなら、写真や画像を多用した雑誌風のレイアウトも、iPadだけでスムーズに作成することができる。なお、作成したファイルを他人に渡す場合、Pagesのファイル形式のままだと相手が開けない可能性がある。PDFに出力してからメールなどで送信しよう。

**レイアウトの
自由度が高い
のが特徴!**

Pagesは、テキストや画像のレイアウトの自由度が高く、見栄えのよいドキュメントを簡単な操作で作成できる。

ドキュメントを新規作成してテキストの書式を設定する

1 ドキュメントを新規作成する

アプリを起動したら、画面右上の「+」をタップ。テンプレートから新規ドキュメントを作成しよう。空白から始めたいときは、空白のテンプレートを選択する。

2 テキストを入力して書式を設定する

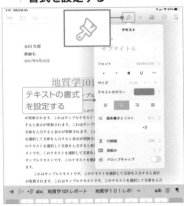

テキストを入力して文書を作っていこう。テキストを選択して、右上のブラシボタンをタップすれば、段落スタイルやフォント、色などの書式を設定できる。

3 テキストの行間隔や段組みの列数なども設定可能

右上のブラシボタンからは、選択したテキストの行間隔や段組みの列数を設定できる。読みやすい状態に設定しておこう。

使いこなしヒント テキストボックスを挿入するには

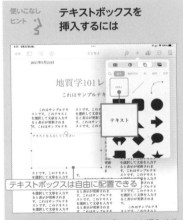

自由に配置できるテキストボックスを挿入する場合は、画面右上の「+」ボタンをタップ。図形マークをタップして、「テキスト」と書かれたものを挿入すればいい。

画像を挿入してテキストの折り返し設定をする

1 「+」ボタンから画像を挿入できる

画面右上の「+」ボタンからは、画像や表、グラフ、図形を挿入できる。ここでは画像を選択して、「挿入元」をタップしよう。

2 ファイルアプリで挿入したい画像を選択

「挿入元」では、ファイルアプリで連携している各種クラウドサービスから画像を挿入できる。iCloud DriveやOneDriveから直接挿入が可能だ。

3 画像のテキスト折り返し(回り込み)設定を行う

配置した画像はドラッグ操作で位置やサイズを変更できる。また、画像を選択した状態で右上のブラシアイコンをタップして「配置」を選択すると、テキストの折り返しなどが簡単に設定可能だ。

雑誌風のレイアウトも手軽に行える

Apple Pencilで手書きの図を挿入する

Apple Pencilで画面をタッチしたら、下部のツールバーにある描画ツール（ペンや鉛筆など）を選択した状態で、もう一度画面内をタッチ。描画エリアが挿入されるので、そこに手書きの図などを描いていこう

完成した文書をPDFで書き出す

1 PDFで書き出しを行う

完成したドキュメントを誰かに渡したい場合はPDF化しておこう。画面右上の「…」から「書き出し」→「PDF」をタップする。

2 送信方法または保存場所を設定する

上の画面が表示されるので、PDFの送信方法を選択しよう。ほかのクラウドサービスに保存したい場合は「"ファイル"に保存」から設定すればいい。

企画書やプレゼン資料で使える
フォントを追加する
App Storeにないフォントでもインストールできる

　iPadOSでは、他社製のフォントをインストールして使うことができる。ただし、各種フォントはApp Storeからインストールする方式なので、App Storeに存在しないフォントは当然使えない。そのため、いつもパソコン環境などで使っているフォントがすぐに使えるわけではないのだ。そこで試してほしいのが、主要なフォント形式のファイルをiPadに強制インストールできる「AnyFont」というアプリ。対応フォント形式は、TureTypeフォント（.ttf）、OpenTypeフォント（.otf）、TrueTypeコレクション（.ttc）の3つ。インストールしたフォントは、システム全体で利用でき、オフィス系アプリでも使うことが可能だ。「パソコンで作ったWordファイルをiPadで開くと、フォントがなくて見た目が変わってしまう」といったよくある問題も、AnyFontで必要なフォントをインストールすれば解決できる。

フォントを強制的にインストール可能な「AnyFont」

AnyFont
作者 Florian Schimanke
価格 250円

AnyFontを使えば、フリーフォントはもちろん、デザイナーが使うような市販フォントもiPadにインストールできる。ただし、市販フォントの場合は、利用に問題がないか必ずライセンスを確認しておこう。

表現の幅やクオリティが格段にアップ！

AnyFontでフォントをインストールする方法

1 | パソコンに接続して フォントファイルを転送する

iPadを接続してクリック

↓

フォントファイルを ドラッグ&ドロップ

iPadとパソコンを接続。Windowsの場合は
iTunesを起動し「ファイル共有」から「Any Font」
をクリック。右側の欄に転送したいフォントをドラッグ
する。Macの場合はFinderでiPadを表示し「ファイ
ル」を選択。「A ny Font」へフォントをドラッグしてコ
ピーしよう。

2 | AnyFontを 起動する

まとめてインストールする
場合はここをタップ

フォント名をタップ

↓

Install

タップ

iPadでAnyFontを起動して、インストールしたいフォ
ント名をタップ。「Install」→「許可」→「閉じる」で
構成プロファイルをダウンロードする。

3 | プロファイルを 有効にする

インストール

「設定」→「一般」→「VPNとデバイス管理」をタップ
して、フォント名のプロファイルをタップ。右上の「イン
ストール」をタップしたら、「次へ」→「インストール」→
「インストール」→「完了」でインストール完了だ。

4 | 各種アプリで フォントを呼び出してみよう

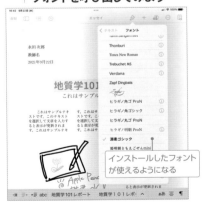

インストールしたフォント
が使えるようになる

WordやPagesなどの各種アプリで書体設定を呼
び出し、インストールしたフォントが使えるようになっ
ていればOKだ。なお、使用するアプリによっては、イ
ンストールしたフォントがうまく使えない場合もある。

オフィス文書に手書きで指示やメモを書き加える

印刷やPDF化が不要になるので効率的

　取引先から送られてきたWordやExcelファイルに、ちょっとした修正指示を書き込んで送り返したいが、いちいち印刷やPDF化するのは面倒……。そんなときには、iPad版の「Word」や「Excel」アプリでファイルを開き、Apple Pencilで直接書き込めばいい。Apple Pencilなら、特にメニューを切り替える必要もなく、画面をタッチするだけで自動的に描画モードに切り替わる。書き込んだ内容は、ペンで描画したオブジェクトとして扱われ、パソコンで開いてもきちんと見ることが可能だ。この方法で修正指示を入れれば、そのままiPadで直接送り返せるので効率的。なお、Appleの「Numbers」でも同様にApple Pencilで画面内に直接書き込めるほか、「Pages」なら「スマート注釈」機能（P82で解説）を使って、より効率的に注釈や修正を書き込める。

オフィス文書に手書きのメモを残せる

印刷しなくても修正指示を手書きで書ける！

WordやExcelファイルを開いた状態でApple Pencilを使うと、そのまま手書き文字が書き込める。ちょっとした修正指示やメモなどを残したいときに便利だ。

WordやExcelの手書き機能を使ってみよう

1 「描画」メニューから色や太さをカスタマイズ

画面上部の「描画」を開けば、ペンの種類や色、太さなどをカスタマイズ可能だ。「タッチして描画する」をオンにすれば、指だけでの描画もできる。

2 書き込んだファイルを送るには?

書き込んだファイルを送信したい場合は、画面右上の共有ボタンで一度保存してから、さらに共有ボタンで「コピーを送信」を選ぼう。

3 書き込んだファイルをパソコンで開くと?

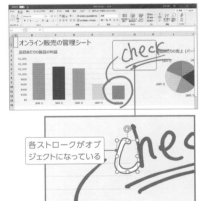

各ストロークがオブジェクトになっている

手書きメモを書き込んだファイルは、パソコンでも開くことができる。ひとつひとつのストロークがオブジェクト扱いになっていて、編集も可能だ。

使いこなしヒント

PagesやNumbersでも手書きでメモできる

Pagesでは注釈ツールを使って書き込む

PagesやNumbersでも、同様にApple Pencilで手書きメモを書き込める。下部のツールバーでペンの種類や色の変更も可能だ。ただしPagesの場合は、ペンや鉛筆を選択した状態で書き込むと描画エリアを挿入してしまうので、右端の注釈ツールを選択して書き込もう（P82で解説）。

KeynoteとApple Pencilで 最強のプレゼン環境を構築

Keynoteでプレゼン資料を作成して再生しよう

　プレゼン用のアプリと言えば、古くから「PowerPoint」が主流だ。しかし、作業環境がiPadやMacで完結できるのであれば、「Keynote」を利用してみるのもオススメ。他社製品よりiPadに最適化されており、インターフェイスもシンプルで使いやすく、見栄えのいいスライドを簡単に作成できる。また、Apple Pencilとの相性も抜群で、スライドに手書きで文字を書き込むのはもちろん、スライド再生中に要点を線で囲んだり、レーザーポインタ代わりにしたりできる。別途HDMIやVGA接続用のアダプタを購入しておけば、外部のプロジェクターやディスプレイにも接続でき、大きな会場でのプレゼンにも問題なく対応できる。なお、作成したスライドは、PowerPoint形式への変換や、PDF、ムービー、アニメーションGIFなど、さまざまな形式で出力することが可能だ。

Apple Pencilでスライド再生中に書き込みできる

Apple Pencilがあれば、プレゼン中にポイントとなる部分を手書きで囲ったり、メモを書いたりが直感的にできる。レーザーポインタ的な機能もあるので便利だ。

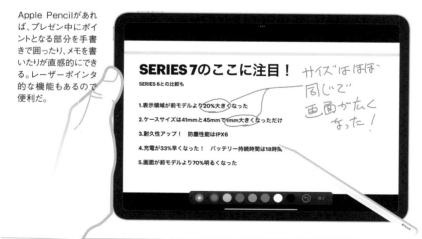

Keynoteでプレゼン資料を作成してみよう

1 | ファイルを新規作成して テーマを選ぶ

好きなテーマを選択

まずは、Keynoteでプレゼン資料を作る際の基本操作を解説しておこう。アプリを起動したら、画面右上の「+」をタップし、好きなテーマを選択する。

2 | 編集エリアをダブルタップして テキストを入力

タイトルのスライドが表示されるので、編集エリアをダブルタップしてテキスト入力。画面右上のブラシボタンで、フォントや色などの変更が可能だ。

3 | 新たなスライドを追加して 画像を配置する

追加するスライドを選択

スライドの追加は、画面左下の「+」をタップすればいい。また、スライドのダミー画像を置き換えたい場合は、画像をタップして右下の「+」をタップする。

4 | 背景の色変更や 各種オブジェクトの追加

背景色を変更

「+」で画像や表、グラフなども配置できる

背景色の変更は、背景をタップして右上のブラシボタン→「背景」を選択。右上の「+」ボタンからは表やグラフ、図形、画像などを挿入できる。

完成したプレゼンテーションを再生させる

1 プレゼンテーションを開いて再生ボタンをタップ

①最初に表示させたい
スライドをタップ

②再生ボタンをタップ

完成したプレゼンテーションを再生させるには、まず画面左側のスライド一覧から最初に再生させたいスライドをタップ。画面右上の再生ボタンをタップすればいい。

APPLE WATCH SERIES 7

画面が大きくなって耐久性もアップ！

最初のページを表示させておくこと！

2 再生中の操作を把握しておこう

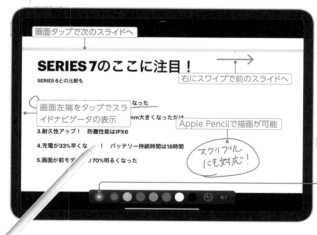

画面タップで次のスライドへ

SERIES 7のここに注目！

SERIES 6との比較も

右にスワイプで前のスライドへ

画面左端をタップでスライドナビゲータの表示

3.耐久性アップ！ 防塵性能はIPX6

4.充電が33%早くな　　！ バッテリー持続時間は18時間

5.画面が前モデ　　70%明るくなった

Apple Pencilで描画が可能

スクリブルにも対応！

再生中は、画面タップで次のスライドに移動、右にスワイプして前のスライドに戻れる。画面左端をタップしてスライドナビゲーターを表示すれば、任意のページに移動可能だ。手書きでの描画やレーザーポインタ機能も使える。

レーザーポインタ機能

使いこなしヒント

インターネット経由で再生できる「Keynote Live」

画面右上の「…」から「Keynote Liveを使用」を実行すると、インターネット経由でプレゼンテーションを再生できるようになる。参加者側は、iOS端末かMac、もしくはブラウザであればWindowsなどでも閲覧が可能だ。リモートワーク環境でプレゼンしたい際などに便利。

iPadをプロジェクタやディスプレイに接続するには?

　プレゼンテーションを行う場合、会場に設置されたプロジェクタやディスプレイなどの大きな画面にスライドを写すことが多い。iPadの映像をプロジェクタもしくはディスプレイに出力したい場合は、以下で紹介しているアダプタと接続用のHDMIもしくはVGAケーブルを別途用意しておこう。古いプロジェクタしかない環境だと、VGA接続しかできないことがあるので要注意だ。

陶芸展『次世代の女性陶芸家たち』
イベント企画の概要について

USB-C Digital AV Multiportアダプタ
Apple
7,480円(税込)

iPadのUSB-C端子と接続することで、HDMI接続で映像を外部出力しつつ、USB端子や充電ケーブルと接続できる。

USB-C VGA Multiportアダプタ
Apple
7,480円(税込)
古めのプロジェクターだと、VGA端子しか映像入力がない場合もあるので、その場合はHDMIではなく、VGA出力の付いたアダプタを買おう。

Apple TV 4K
Apple
21,800円(税込)
企業によってはミーティングルームにApple TVが用意されている場合もある。Apple TVなら、iPadの映像をWi-Fi経由で送ることが可能だ。

使いこなし
ヒント

Lightning端子が搭載されているiPadの場合

Lightning端子が搭載されているiPadの場合は、上記で紹介している各種アダプタではなく、Lightning端子用のアダプタを購入しよう。HDMI接続用は「Lightning - Digital AVアダプタ(6,380円)」、VGA接続用は「Lightning - VGAアダプタ(6,380円)」がオススメだ。

iPadをPowerPointの再生端末として使う

モバイル性の高いiPadならプレゼンも快適にこなせる

　普段仕事でPowerPointを扱っているなら、iPad版のPowerPointも使いこなしておきたい。iPadならノートパソコンよりも圧倒的に持ち運びが楽で、タッチパネルやApple Pencilによる直感的な操作ができるという大きなメリットがある。また、iPad版はパソコン版（Microsoft 365）の主要な機能がほぼ網羅されており、機能不足感もあまり感じられない。慣れてしまえば、iPadだけでスライドの作成から再生まですべて完結させることも可能だ。ただし、iPad版では、スライドに挿入したい画像を、あらかじめiPad本体（写真アプリ）に保存しておく必要がある、というデメリットがある（別途OneDriveアプリなどを経由させてパソコンから写真アプリに画像を転送しておくのがおすすめ）。このひと手間が意外と面倒なので、画像を多用するスライドを作成する場合は、パソコン版で作業したほうがスムーズだ。まずは、PowerPointファイルの再生端末としてiPadを使いこなしてみよう。

パソコンで作ったPowerPointファイルをそのまま再生!

iPad版PowerPointなら、パソコンで作ったPowerPointファイルをそのまま開くことができる。iPadだけ常に持ち歩いていれば、どこでも気軽にプレゼンができてしまうのだ。

既存のPowerPointファイルを開いて再生させよう

1 | OneDrive経由で ファイルを開く

目的のファイルを開く

アプリを起動したらMicrosoftアカウントでサインインしておく。パソコンで作ったPowerPointファイルを開くときは、OneDrive経由で受け渡しをすると簡単。上の画面で「開く」からファイルを開こう。

2 | 再生ボタンを タップする

タップ

必要ならファイルの編集を行っておく

ファイルが開いたら、全スライドで問題がないかチェック。必要であれば編集を行おう。スライドを再生させる場合は、画面右上の再生ボタンをタップ。

スライド再生中に書き込みも可能だ！

3 | スライドが 再生される

これでスライドが再生される。左右スワイプでスライドを移動しよう。指先やApple Pencilを使って、手書きでの書き込みも可能だ。

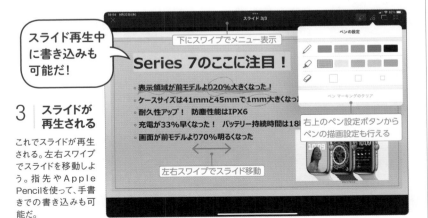

下にスワイプでメニュー表示

Series 7のここに注目！

- 表示領域が前モデルより20%大きくなった！
- ケースサイズは41mmと45mmで1mm大きくなっ
- 耐久性アップ！ 防塵性能はIPX6
- 充電が33%早くなった！ バッテリー持続時間は18
- 画面が前モデルより70%明るくなった

左右スワイプでスライド移動

右上のペン設定ボタンからペンの描画設定も行える

iPhoneをリモコンにして プレゼンを行う

動きながらプレゼンをしたいときに役立つ

　Keynoteで実際にスライドを再生する場合、常にiPadの側にいてスライド操作を行う必要がある。しかし、この状態だと動きながらプレゼンをするのが難しい。そこで利用したいのが「Kenote Remote」。本機能を使えば、iPadで映像＋音声出力を行い、iPhoneでスライドの再生操作を行う、といったことが可能となる。ただし、Wi-Fi接続が必須なので、事前に会場のWi-Fi環境を確認しよう。

iPhoneをKeynoteのリモコンとして設定する

1 | iPhoneのKeynoteで Remote機能を起動

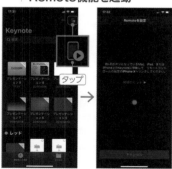

タップ

iPhoneでKeynoteを起動したら、画面右上のRemoteボタンをタップ。表示される手順通りに画面を進め、接続待機画面にしておこう。

2 | iPadのKeynoteで Remoteを有効にする

オンにする

タップして接続

iPadでもKeynoteを起動し、プレゼンテーションを表示。画面右上の「…」から「リモコンを許可」→「Remoteを有効にする」をオンにしたら、接続するiPhoneの名前の「リンク」をタップ。

3 | iPhone側でスライドを 操作できる

双方の端末で接続設定が完了すると、iPhoneでスライドを再生できるようになる。指先での描画も可能だ。

画面タップで次のスライドへ

PDF

の仕事技

PDFを柔軟に扱える PDF Expertを導入しよう

PDF書類を高度に管理・編集できる定番アプリ

　電子化された書類のスタンダード形式と言えばPDF。iPadではメールで届いたPDFファイルをタップするだけで開くことができるし、マークアップ機能を使って指示を書き加えることもできる。ただ、マークアップは細かい指示の書き込みにあまり向いていないし、PDFのページを並べ替えるといった編集もできない。そこで、PDFを自由に扱える定番アプリ「PDF Expert」を使ってみよう。残念ながら無料版だとPDFの編集機能がほとんど使えないので、仕事で使うならサブスクリプションのPRO版がおすすめ。P174で紹介する「PDF Viewer Pro」の方が無料で使える編集機能は多いが、「PDF Expert」の方が動作は安定していて、クラウドサービスとの同期フォルダを作成できたり、ダウンロードの進捗状況が分かったりと、細かな点で使い勝手がいい。またSplit ViewやSlide Overでひとつのファイルを2画面で操作できる（P162で解説）点も魅力だ。

	無料版	PRO版 （5,400円／年）
ファイルとフォルダの管理	○	○
クラウドでの作業	○	○
PDFの閲覧	○	○
PDFに注釈をつける	○	○
フォームに記入	○	○
PDFに署名	−	○
スタンプを追加	−	○
PDFページを管理	−	○
PDFを結合する	−	○
PDFテキストの編集	−	○
PDF画像の編集	−	○
リンクの追加	−	○
機密情報の墨消し	−	○
書類や画像をPDFに変換	−	○
ファイルサイズの圧縮	−	○
ツールバーのカスタマイズ	−	○

PDF Expert
作者 Readdle Inc.
価格 無料

無料版とPRO版の主な違いは左表の通り。基本的にPDFページを編集するにはPRO版（年額5,400円）が必要だが、買い切り制だった前バージョンの「PDF Expert 6」の購入履歴があれば、PDFの並べ替えやページの追加、結合といった一部の編集機能を無料版でも利用できるようになっている。

1 | クラウドサービスを追加する

まず、サイドメニューの「接続先を追加」をタップ。
PDFファイルが保存されているクラウドをタップし、
連携を許可しよう。ここでは「Dropbox」を追加する。

2 | 「このフォルダを同期」をタップする

「接続先」欄に追加されたDropboxにアクセスし、
PDFが入ったフォルダを開いたら、上部の同期ボタ
ンをタップして「このフォルダを同期」をタップ。

3 | PDF Expertに同期

タップしてフォルダを開く。
フォルダを同期せず、サイド
メニューからDropboxにア
クセスして、直接ファイルを
PDF Expertで開いたり、
PDF Expertにファイルをダ
ウンロードして扱うなど、使
いやすい方法で利用しよう

「マイファイル」に「同期フォルダ」が作成され、この
中に同期したフォルダのコピーが作成される。オン
ライン中はDropboxと双方向で同期し、オフライン
でもアクセスできる。

使いこなしヒント | メールに添付されたPDFを保存する

メールに添付されたPDFファイルは、ロング
タップして「共有」→「PDF Expert」で保存でき
る。共有メニューにアイコンがない時は、「その
他」の候補から「PDF Expert」を追加しよう。

保存したPDFファイルを操作する

1 | 新規フォルダや PDFを作成する

右下の「+」ボタンから、「フォルダ」をタップして新規フォルダを作成。「空白のPDF」をタップして新規PDFファイルを作成できる。

2 | PDFをコピー、 移動、削除する

ファイルやフォルダの「…」ボタンをタップすると、表示されるメニューでコピーや移動、削除といった操作を行える。

3 | PDFを複数選択 して操作する

右上のチェックマークボタンをタップすると選択モードになる。複数ファイルにチェックすると、サイドメニューでコピーや移動、削除を行える。ロングタップして左メニューにドラッグし、まとめて他のフォルダに移動することも可能。

4 | iPadの標準操作でも 複数選択できる

1つのファイルをロングタップして少し動かし、そのまま他のファイルをタップしていく。ホーム画面のアプリや、ファイルアプリと同様の操作で複数選択できる

iPadの標準操作でも複数のファイルを選択できる。1つのファイルをロングタップして浮かび上がったら少し動かし、そのまま他の指で別のファイルを選択していこう。まとめてドラッグ&ドロップで操作できるようになる。

PDFファイルを送信する、共有する

1 PDFを添付して メールを送る

ファイルの「…」ボタンから「メール」をタップすると、添付してメールを作成できる。フォルダの場合はZIPで圧縮して添付される。

2 PDFを他のアプリ にコピーする

編集したPDFを他のアプリで開きたい場合は、「…」→「共有」をタップ。コピー先のアプリを選択しよう。

ファイルを圧縮する、パスワードで保護する

1 ファイルやフォルダ を圧縮する

ファイルやフォルダの「…」→「圧縮」をタップすると、ZIP形式で圧縮できる。また、圧縮ファイルはタップするだけで中身が解凍される。パスワード付きZIPファイルの解凍にも対応する。

2 PDFファイルを パスワードで保護する

サブスクリプション契約を済ませたPRO版なら、PDFファイルに個別にパスワードを設定できる。PDF Expert上だけでなく、他のアプリやパソコンなど別のデバイスで開く際にも、パスワードの入力が求められるようになる。

PDFの書類に指示や注釈を書き加える

PDF ExpertでPDF書類にメモを記入しよう

PDF Expertを使えば、PDFの書類内に文字や図形を自在に書き込める。「注釈」タブ開き、「ペン」「マーカー線」「テキスト」「メモ」「図形」などのツールを切り替えて、PDFに指示や注釈を追加していこう。それぞれのツールは、カラー、太さ、筆圧の有無などの設定を、細かく変更できるようになっている。Apple Pencilと組み合わせれば、PDFへの書き込みはより快適になるだろう。ただし無料版だと、ツールバーにはペンとマーカーがそれぞれ1本ずつしか用意されていないので、ペンのカラーや太さを素早く切り替えたいときに不便だ。そこで、マーカーの不透明度を「100%」にし、好きなカラーと太さに調整して、色違いの2本目のペンツールとして使うのがおすすめだ（P161で解説）。

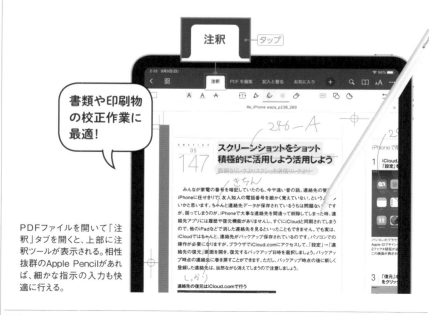

注釈 —[タップ]

書類や印刷物の校正作業に最適！

PDFファイルを開いて「注釈」タブを開くと、上部に注釈ツールが表示される。相性抜群のApple Pencilがあれば、細かな指示の入力も快適に行える。

PDFにペンや手書きで入力する

1 | ペンで指示を書き込む

ツールバーの「ペン」「マーカー」ボタンをタップすると手書きモードになる。マーカーは不透明度とカラー、太さを調整して、2本目のペンとして使ったほうが便利（P161で解説）。

2 | 消しゴムで書き込みを消す

「消しゴム」ボタンをタップすると、ペンで書き込んだ文字を消せる。Apple Pencil（第2世代）のダブルタップでも消しゴムツールに切り替えできる。

3 | ハイライトやアンダーライン

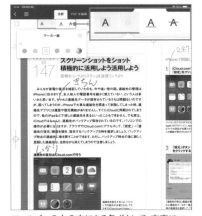

ツールバーの左の方にある各ボタンで、文字にマーカーを引いたり、下線を引いたり、取り消し線を引くことができる。

4 | 書き込みのサイズ変更や削除

書き込みをタップすると、オブジェクトとして選択状態になった上でメニューが表示され、コピーや削除を行える。また青い枠をドラッグすれば、サイズを変更できる。

PDFにテキストやメモを入力する

1 | タップした位置にテキストやメモを挿入する

「テキスト」や「メモ」ボタンをタップすると、タップした位置にテキストを挿入したり、メモを添付できる。メモの場合、普段は小さな吹き出しで表示されるので、長文での指示に便利。

2 | テキストやメモはスクリブルでも入力できる

テキストやメモは、キーボードで入力する以外に、スクリブルで手書き入力も可能だ。Apple Pencilで手書きの指示を加えているときに、キーボードに切り替えることなくスムーズに作業できる。

3 | 範囲選択ツールを使いこなす

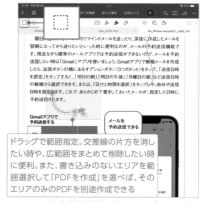

ツールバー左端の選択ボタンをタップすると範囲選択モードになる。ドラッグした範囲の書き込みのみが選択状態になり、選択部分に対して移動や削除の操作を行える。

4 | 図形を挿入する

「図形」ボタンをタップすると、タップした位置に四角、円、直線、矢印などの図形を挿入できる。「塗りつぶしの色」で色を選んで塗りつぶしも可能。

ペンとマーカーのおすすめ設定

1 | ペンの筆圧は「均一」に設定

ペンツールのカラーボタンをタップすると、カラーの変更や太さを調節できる。細かい指示を書き加えたい場合は、太さを0.5ptか1ptにし、筆圧を「均一」に設定するのがおすすめ。

2 | マーカーを2本目のペンにする

マーカーをあまり使わないなら、色違いの2本目のペンとして使う方が便利。「不透明度」を「100%」に設定した上で、カラーはペンと違う色に、太さは「1pt」などに設定しよう。

「お気に入り」で複数のペンを追加する

1 | お気に入りタブでツールを追加する

サブスクリプション契約を済ませていれば、「お気に入り」タブで複数のペンを登録できる。「ツールを追加」→「ペン」をタップし、色や太さが違う複数のペンを追加しておこう。

2 | お気に入りのツールを編集する

ツールバー右端の「お気に入り設定」ボタンをタップすると、別のツールを追加できるほか、「編集」ボタンで追加済みのペンを削除したり並べ替えできる。

2つのPDFを同時に
開いて書き込みを行う

PDF Expertを同時起動して2画面で作業できる

　PDFファイルを2つ並べて、相互に参照しながら作業したいシーンは多い。例えば、修正前と修正後のPDFファイルを並べて表示すれば、修正箇所をひと目で把握できる。また何百ページもあるPDFファイルは、見返したいページにいちいち戻らなくても、片方で参照したいページを表示させながらもう片方の画面で別のページに書き込みできると便利だ。そんな時は、iPadの画面を分割表示できるSplit ViewやSlide Over機能（P18から詳しく解説）を使ってみよう。PDF Expertなどの対応アプリであれば、これらの機能で同じアプリを同時に2つ開いて表示できるので、それぞれの画面でPDFファイルを開いて、見比べながら作業できるようになる。またそれぞれの画面で別のフォルダを開いて、ドラッグ&ドロップでPDFファイルを移動するといった操作も簡単に行える。

PDF Expertを2画面で開いた際のメニュー操作

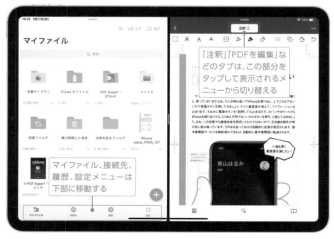

PDF Expertは通常だと、サイドバーにマイファイルや接続先などのメニューがまとめられているが、Split ViewやSlide Overで分割すると、これらのメニューは下部に移動する。PDF編集時のメニューなども少し操作性が変わるので注意しよう。

新旧ファイルを見比べて確認するならSplit View

1 | PDF ExpertをSplit Viewで開く

タップしてホーム画面が表示されたら、もうひとつのPDF Expertを起動する

新旧2つのPDFを見比べて、変更箇所をチェックしたい場合などは、Split Viewで分割するといい。まずひとつ目のアプリとしてPDF Expertを起動したら、上部のマルチタスキングメニューからSplit Viewボタンをタップ。ホーム画面が表示されたら、もうひとつのPDF Expertを起動しよう。

2 | PDF Expertが2画面で分割表示される

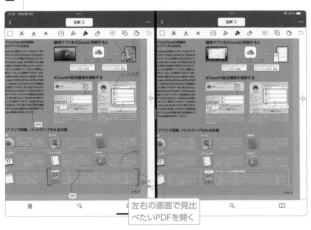

左右の画面で見比べたいPDFを開く

PDF Expertが2つの画面で分割表示されるので、それぞれの画面で見比べたいファイルを開こう。左右のPDFファイルでどこが変わったかが分かりやすくなる。もちろん、それぞれの画面で注釈の書き込みや編集作業なども行える。左右画面で同一ファイルを開いて、それぞれ別のページを表示させるといった使い方もできる。

使いこなしヒント 🔧

同時に3つの画面を開くこともできる

Split Viewで画面を分割中にDockを表示させて、PDF ExpertのアイコンをSplit Viewの仕切り線部分にドラッグしてみよう。すると、Slide Overの画面も表示されて、合計3つの画面でPDFを開いて作業することができるようになる。

同じPDFの離れたページを参照するならSlide Over

1 PDF ExpertをSlide Overで開く

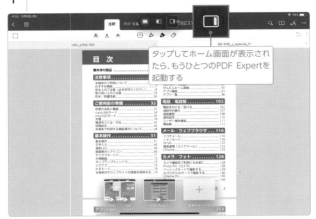

タップしてホーム画面が表示されたら、もうひとつのPDF Expertを起動する

何百ページもあるようなマニュアルPDFで、目次ページだけ素早く確認できるようにしたいなら、Slide Overを使うと便利。PDF ExpertでマニュアルマニュアルPDFを開いたら、上部のマルチタスキングメニューからSlide Overボタンをタップ。ホーム画面が表示されたら、もうひとつのPDF Expertを起動しよう。

2 Slide Over側で目次などを表示する

目次など常に確認したいページを表示しておく

Slide Over側の画面でも同じマニュアルPDFを開き、目次ページなどの常に確認したいページを開いておこう。

3 必要なときだけ表示できる

右にスワイプすると消える。右端から左にスワイプすると再表示

Slide Overの画面は、必要ないときにさっと右スワイプで消せるのが便利なところ。また目次を確認したくなったら、画面右端から左にスワイプすればよい。

使いこなしヒント

同じPDFを2つの画面で編集するとどうなる?

同じPDFを2つの画面で開き、片方の画面で注釈などを書き込むと、もう片方の画面にも即座に書き込み内容が反映される。どちらの画面で編集したかは関係なく、取り消しボタンをタップすると、最後に行った操作から取り消されていく。

ファイルをドラッグ&ドロップで手軽に整理する

1 | PDF Expertを2画面同時に起動する

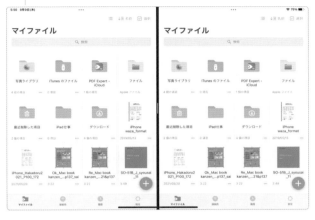

PDF Expertを2画面同時に起動することで、ファイルの整理もドラッグ&ドロップで簡単にできる。まずSplit Viewなどで、PDF Expertの画面を2つ開こう。

2 | ファイルを選択して片方の画面にドロップ

ファイルをドラッグ&ドロップ

片方の画面で移動したいPDFファイルやフォルダを複数選択したら、そのままもう片方の画面で開いたフォルダにドラッグ&ドロップする。

3 | 2つの画面をまたいでファイルを移動できた

このように、2つの画面をまたいでファイルを移動できる。1画面でファイルを移動するよりも手軽なので覚えておこう。

使いこなしヒント

PDF内の画像などはドラッグで移動できない

左右両方の画面で編集モードにし（P170で解説）、片方のPDF内の画像をドラッグしても、そのままもう片方のPDFに移動することはできない。画像をタップしてポップアップメニューからコピーし、もう片方のPDF内に貼り付けるようにしよう。

PDFのページを編集する

PDF Expertの有料版で本格的なページ編集を行う

　PDFで受け取った資料から一部だけ抜き出して他の人に渡したり、複数の
PDFファイルを一つにまとめて送りたいこともあるだろう。そんな時もPDF Expert
の出番だが、残念ながら無料版ではこうした操作ができない。サブスクリプション
契約を済ませ有料版へ移行して、PDFページの編集機能を使えるようにしよう。
PDFファイルを開いて、左上の4つの四角ボタンをタップすると、ページ一覧画面
が表示される。この画面でページを選択すると、上部のメニューで、ページの追加
や削除、抽出、コピー、ペーストといった編集が可能だ。またページ順の並べ替え
も、ドラッグ&ドロップで簡単に行える。他のPDFファイルからコピーしたページを
貼り付けたり、複数のPDFファイルを結合することも可能だ。有料版の年額は
5,400円と少し高額だが、こうしたページ編集を仕事で使うことが多いなら、契約
しておいて損はない。

PDF ExpertでPDFファイル
を開いたら、左上の4つの四
角ボタンをタップしよう。ペー
ジの一覧がサムネイルで表
示される。PDFのページ操
作はこの画面で行う。

PDFページの追加や削除、並べ替えを行う

1 ページのコピーや削除を行う

PDFページの操作メニュー

サムネイル画面を開くと、選択したページの操作を上部メニューで行える。コピーやペースト、回転、抽出、削除といったボタンが用意されている。

2 新しいページを追加する

新しいページは「挿入」ボタンで追加できる。「空白のページ」で空白／罫線／方眼紙ページを追加。「スキャンページ」で書類を撮影して取り込む。「他のファイル」は他のPDFファイルから追加。

3 複数ページを選択する

右上の「選択」ボタンをタップすると、複数ページの選択モードになる。選択するページをタップしていこう。上部メニューでまとめて操作できる。

4 ドラッグ&ドロップでページ順を並べ替える

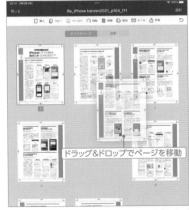

ドラッグ&ドロップでページを移動

ページをロングタップするとそのページが浮き上がり、ドラッグ&ドロップでページ順の並べ替えができる。

コピーしたページを他のファイルに追加する

1 | 上部メニューから ペーストをタップ

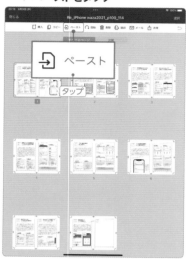

コピーしたページを他のPDFファイルに追加するには、追加したいページのサムネイル画面で、上部メニューの「ペースト」をタップ。

2 | 表示された空欄 をタップ

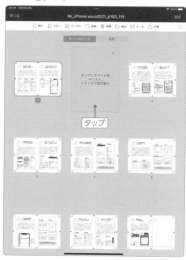

現在選択中のページの後ろに「タップしてページをペースト〜」という空欄が表示されるので、これをタップする。

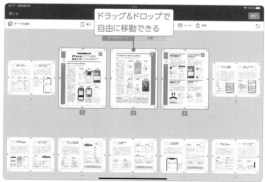

3 | コピーしたページが 追加された

空欄の位置に、コピーしておいたページが挿入された。ドラッグ&ドロップでページの入れ替えが可能だ。

PDFファイルを結合する

1 | ファイル画面で選択ボタンをタップ

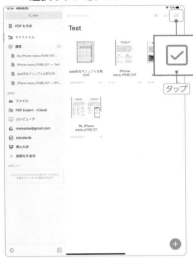

タップ

PDFのページ単位ではなく、PDFファイル全体を結合したい場合は、まずファイルの一覧画面右上の選択ボタンをタップする。

2 | ファイルを選択して結合する

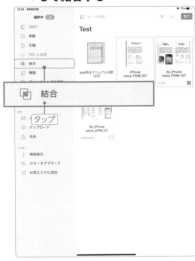

タップ

複数ファイルをタップして選択し、サイドメニューの「結合」をタップすれば、選択したPDFファイルが一つに結合され、新しいPDFファイルとして保存できる。

使いこなしヒント

無料でページ編集するならPDF Viewer Pro

PDF ExpertでPDFページの編集を行うには、年額5,400円のサブスクリプション契約が必要だが、P174で紹介する「PDF Viewer Pro」なら、ページを入れ替えたり、複製したり、抽出するといったPDFのページ編集を無料で行える。ただし、他のPDFファイルからページを貼り付けたり、結合するのは、PDF Viewer Proでも有料機能だ。

5

PDF内の文章や
画像を編集する

リンクの追加や機密情報の墨消し機能も利用できる

　P166で解説したPDFのページ編集と同様に、PDF Expertの有料版で使えるようになるのが、PDF内のテキストや画像の編集機能だ。PDFの書類内に誤字脱字を発見したり、取引先の住所が変わったといった場合に、iPadだけでサッと内容を修正できるようになる。編集ツールを利用するには、PDFファイルを開いて、上部メニューの「PDFを編集」をタップしよう。「テキスト」ツールを選択すると、PDF内の文章の書き換えや追記ができる。「画像」ツールでは、画像の差し替えやサイズ変更などを行える。「リンク」ツールでは、テキストや画像をタップした際に、書類内の別のページやWebサイトにジャンプするようリンクを追加可能。さらに「墨消し」は、他の人に書類を送る時に機密情報が見られないよう、テキストの一部をベタ塗りで隠したり、消去することができる重要な機能だ。

内容の変更も
自由自在

PDFファイルを開いて「PDFを編集」タブを開くと、PDF内のテキストや画像の編集モードになる。テキスト、画像、リンク、墨消しの編集が可能だ。

PDF内のテキストを編集する

1 | テキストの編集モードにする

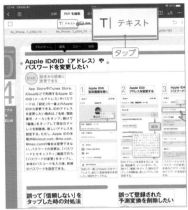

上部の「テキスト」ツールをタップすると、テキストの編集モードになる。PDF内のテキストをタップして選択すると、メニューが表示される。

2 | PDF内の文章を書き換える

「編集」をタップすると、PDF内のテキストを書き換えることができる。キーボード上部のメニューで、フォントやサイズの変更も可能。

3 | フォントやサイズをまとめて変更する

選択したテキストのフォントやサイズをまとめて変更するには、「プロパティ」をタップすればよい。

4 | テキストの表示を段落／行ごとに変更

「テキスト」ツールをロングタップすると、テキストの表示を段落ごと、または行ごとに変更できる。

PDF内の画像を編集する

1 画像の編集モードにする

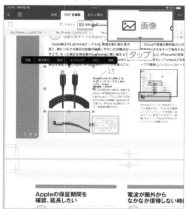

上部の「画像」ツールをタップすると、画像の編集モードになる。PDF内の画像をタップして選択すると、画像の置き換えや削除を行える。

2 ドラッグ&ドロップで画像を移動する

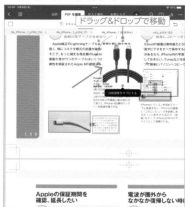

画像をタップしたままドラッグ&ドロップすると、画像をPDF内の好きな位置に移動することができる。

3 画像のサイズを変更する

画像を選択し、四辺に表示された青い丸ボタンをドラッグすると、画像のサイズを自由に変更できる。一部だけ切り取るトリミングも可能。

4 PDF内に画像を挿入する

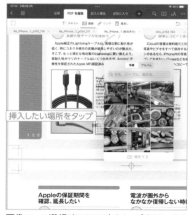

画像ツール選択時にPDF内をタップすると、その場所に画像を挿入できる。写真やアルバムから、貼り付ける画像を選択しよう。

テキストや画像にリンクを追加する

1 | リンクツールでリンク元を選択

上部の「リンク」ツールをタップし、リンクさせたいテキストや画像を選択したら、タップして表示されるメニューから「移動先」をタップ。

2 | リンク先のページやWebを指定する

タップした際に表示する、「ページ」または「Web」を指定しよう。リンク先のページはサムネイルから選ぶか、ターゲットピッカーで選択できる。

機密情報を墨消しする

1 | 墨消しツールでモードを選択

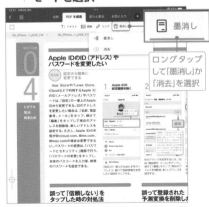

書類を送る際に内容の一部を隠したい場合は、墨消しまたは消去できる。上部「墨消し」ツールをロングタップし、モードを選択しよう。

2 | PDFの内容の一部を隠す

PDF内で隠したい箇所をドラッグすると、選択した範囲を墨消ししたり、消去することができる。

無料で使えるおすすめ PDFアプリを利用しよう

PDFページの編集も無料でできる

　P154から紹介している「PDF Expert」は優秀なPDFアプリだが、PDFの ページや内容を本格的に編集するには、年額5,400円という安くない金額を支 払う必要がある。無料でPDFを編集したいなら、「PDF Viewer Pro by PSPDFKit」を使ってみよう。「PDF Expert」の無料版ではできない、PDFペー ジの並べ替えや新規ページの追加などができる。注釈機能も「PDF Expert」と 比べて遜色なく、指を反応させずにApple Pencilでのみ注釈を書き込める機能 なども備えていて便利だ。ただし、やや動作が重いことがあるので、PDFに注釈を 書き込むだけなら、動作が軽く安定している「PDF Expert」の方が快適に作業 できる。また、他のPDFファイルを結合したり、他のPDFファイルのページをコピー して挿入するといった編集を行うには、3か月800円または年間2,300円のPro 機能の購入が必要だ。

Apple Pencil だけで注釈を 書き込める

PDF Viewer Pro by PSPDFKit
作者 PSPDFKit GmbH
価格 無料

Apple Pencilがあるなら、注 釈メニューのApple Pencil ボタンをタップして、「注釈に Apple Pencilのみを使用」 をオンにしておこう。PDFへ の書き込みは指だと反応せ ず、Apple Pencilでのみ反 応するようになる。

PDF Viewer Pro by PSPDFKitの基本操作

1 | ブラウズ画面で フォルダを開く

各サービスやiPad内から
PDFファイルを開く

メイン画面を左から右にスワイプしてサイドメニューを開くと、「場所」欄に表示されたクラウドやアプリからPDFファイルを開くことができる。「PDF Expert」内のPDFも参照できる。

2 | ペンとマーカーで PDFに書き込む

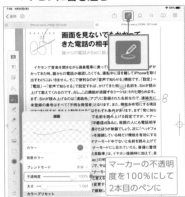

マーカーの不透明
度を100%にして
2本目のペンに

上部メニューの鉛筆ボタンで注釈モード。ペンツールはペン1本とマーカー1本が用意されているが、マーカーの不透明度を100%にして太さを調整すれば、2本目のペンとして利用できる。

3 | PDFページを 編集するには

PDFファイルを開いたら、画面右上の四角が4つ集まったボタンをタップするとページ一覧画面が表示されるので、続けて隣の編集ボタンをタップしよう。PDFページの編集モードになる。

4 | ページの入れ替えや 追加、削除ができる

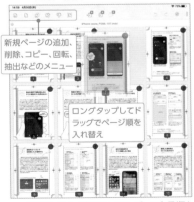

新規ページの追加、
削除、コピー、回転、
抽出などのメニュー

ロングタップしてド
ラッグでページ順を
入れ替え

ページをロングタップすると、ドラッグして表示順を入れ替えできる。また上部メニューで新規ページの追加、削除、コピー、回転、抽出などを行える。「P」が付いたボタンはPro版の機能。

メール添付のPDFに サクッと指示を加える

マークアップ機能で書き込んでそのまま返信できる

メールで受け取ったPDFファイルに、ちょっとした指示を書き込んで返信したいだけなら、iPadOS標準のマークアップ機能を使えば簡単だ。まず、メールアプリで受信メールを開き、添付されたPDFをタップして開く。続けて、右上にある鉛筆型のマークアップボタンをタップすると、下部にペンツールが表示され、PDF内に自由に手書き指示を書き込める。あとは「完了」→「全員に返信」をタップすれば、指示を書き込んだPDFを添付した状態で返信メールを送信できる。このように、標準機能だけで非常に手軽に返信できるが、マークアップ機能はペンの種類も少なく、あまり細かな指定はできない。もっと細かく書き込みたい時は、右上の共有ボタンから「PDF Expert」をタップし、PDF Expertで編集を加えた上で返信メールを作成しよう。

1 | PDFを開いてマーク アップボタンをタップ

メールに添付されたPDFファイルをタップしてプレビューを開いたら、続けて右上のマークアップボタンをタップする。

2 | 指示を書き込んだ PDFを添付して返信する

ペンツールでPDFファイル内に指示を書き込もう。左上の「完了」→「全員に返信」をタップすると、書き込んだPDFを添付して相手に返信できる。

紙の書類や各種印刷物を
スキャンしてPDF化する

撮影した書類を自動補正してPDFに変換

　紙の資料や書類などは、PDF化してiPad内に取り込んでしまえば、保存場所を取らないし、書類に注釈を加えたりメールで送るといった作業も簡単。書類をPDF化するには、スキャナーアプリ「Adobe Scan」を使おう。カメラで撮影した写真を、文字が読みやすいように明るさや傾きを自動補正した上で、PDFファイルとして保存してくれる。すでに撮影済みの写真からPDF化することもできるし、ページの並べ替えや切り抜きなどの編集も可能だ。また、保存したPDFファイルからテキストだけを抽出してコピーすることもできる（P87で解説）。

1 | カメラで書類を撮影する

Adobe Scan
作者 Adobe Inc.
価格 無料

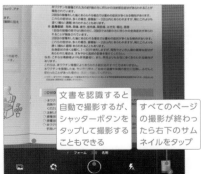

> 文書を認識すると自動で撮影するが、シャッターボタンをタップして撮影することもできる

> すべてのページの撮影が終わったら右下のサムネイルをタップ

アプリ内のカメラで書類を撮影するか、撮影済みの写真を読み込む。境界線を調整して「続行」をタップすると、連続して他のページを撮影できる。撮影が終わったら右下のサムネイルをタップ。

2 | 編集を加えてPDFとして保存する

> PDF を保存

> タップしてPDF形式で保存

撮影した写真は文字が読みやすいように自動補正される。下部のメニューで、ページの並べ替えや切り抜き、サイズ変更といった編集を加え、右上の「PDFを保存」ボタンをタップすれば、PDFファイルとして保存できる。

オフィス文書を
PDF化する

相手に送る時はレイアウトの崩れないPDF形式で

WordやExcelで作成した書類をそのまま相手に送ると、相手のバージョンによってはレイアウトが崩れて表示される場合があるし、そもそもWordやExcelを閲覧できる環境がない場合がある。相手が編集する必要がない場合はWordやExcelをPDF形式に変換して送信しよう。PDFファイルならほとんどのデバイスで問題なく表示でき、レイアウトが崩れることもない。公式のWordやExcelアプリ（P122で紹介）を使えば、PDF形式に簡単に変換できるが、画面サイズが10.2インチ以上のデバイスで編集機能などを使うには、Microsoft 365のサブスクリプション契約が必要となっている。現行のiPad Pro、iPad Air、iPadはすべて10.2インチ以上なので、WordやExcelファイルのPDF変換機能も有料だ。画面サイズが9.7インチの旧モデルを持っているなら、無料でPDF形式に変換できる。

PDF変換機能は
基本的に有料

Microsoft Word
作者 Microsoft Corporation
価格 無料

Microsoft Excel
作者 Microsoft Corporation
価格 無料

WordやExcelアプリでオフィス文書をPDF化するには、Microsoft 365の契約が必要（旧モデルの9.7インチiPad Pro、iPad Air、iPadなら無料）。まずは左下にある宝石型のボタンをタップし、Microsoft 365のサブスクリプション契約を済ませよう。最初の1ヶ月は無料で試用できる。

WordやExcel文書をPDFに変換する

1 | エクスポートで PDFを選択

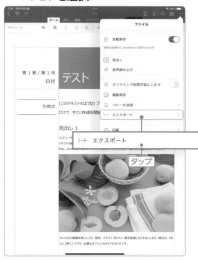

PDF化したいオフィス文書を開いたら、右上の「…」ボタンをタップし、続けて「エクスポート」→「PDF」をタップ。

2 | 保存先を指定して PDF形式に変換

ファイル名を付け、「自分のiPad」や「ファイルアプリ」などから保存先を選択したら、右上の「エクスポート」でPDF形式に変換できる。

変換したPDFファイルを確認する

PDFに変換するとWordやExcelアプリからは見えないので、ファイルアプリで保存先を開こう。「自分のiPad」に保存した場合は、サイドメニューの「このiPad内」にある、「Word」や「Excel」フォルダに保存されている。あとはPDFファイルを開いて、共有メニューから取引先の相手にメールなどで送ればよい。

Webサイトを
PDF化する
iPadOSの標準機能でPDF化できる

　Safariで表示中のWebサイトは、PDF Expertなどのアプリを使わなくても、iPadOS標準機能でPDF形式に変換して保存できる。画面に表示されてない部分も含めて、丸ごと1つのページとして保存することが可能だ。方法はふたつある。まずPDF化したいWebサイトをSafariで開いたら、上部の共有ボタンから「マークアップ」をタップしよう。この操作だけで、WebサイトがPDF形式に変換されて表示されるので、あとは左上の「完了」→「ファイルを保存」で保存すればよい。もうひとつは、PDF化したいWebサイトのスクリーンショットを撮影する方法。左下に表示されるサムネイルをタップし、「フルページ」を選択してから左上の「完了」→「PDFを"ファイル"に保存」で保存すればよい。

「マークアップ」からPDFで保存する

1 | Safariでマークアップをタップ

SafariでPDF化したいWebサイトを開いたら、上部の共有ボタンから「マークアップ」をタップしよう。

2 | PDF化されたページを保存する

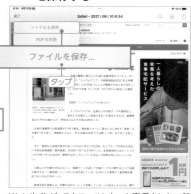

Webサイトが、スクロールしないと表示されない部分も含めてPDF化された。左上の「完了」→「ファイルを保存」で、好きな場所に保存できる。

スクリーンショットからPDFで保存する

1 | スクリーンショットを撮影する

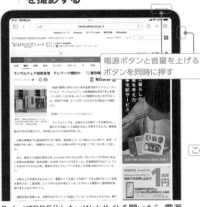

電源ボタンと音量を上げるボタンを同時に押す

SafariでPDF化したいWebサイトを開いたら、電源ボタンと音量を上げるボタン(ホームボタン搭載機種は電源ボタンとホームボタン)を同時に押して、スクリーンショットを撮影しよう。

2 | サムネイルをタップする

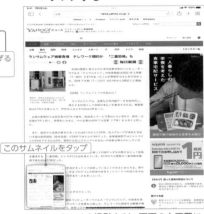

このサムネイルをタップ

スクリーンショットを撮影すると、画面の左下隅に、サムネイルが数秒間表示される。これをタップして、スクリーンショットの編集画面を開こう。

3 | フルページに変更する

フルページ

タップ

スクリーンショットの編集画面で、上部のタブを「フルページ」に切り替えることで、スクロールしないと表示されない部分も含めてPDF化される。

4 | 保存先を指定してPDFファイルを保存

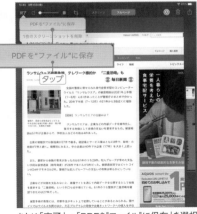

PDFを"ファイル"に保存

タップ

あとは「完了」→「PDFを"ファイル"に保存」を選択し、保存先を選択して「保存」をタップすれば、Webページ全体をPDFファイルとして保存できる。

PDFアプリに手書きノートが備わったFlexcil 2を使う

複数のPDFの内容を1冊のノートにまとめて整理

仕事で必要な資料や論文などを読み込んで自分なりに整理したいときに、とにかく使いやすいアプリが「Flexcil 2」だ。PDFに注釈を書き込んだりページ順を変更できるPDF編集アプリとしても優秀だが、さらに便利なのが、PDFを表示しながら手書きノートを作成できる点。PDFを読みながら同じ画面にノートを呼び出し、PDF内のテキストや画像をノート内にドラッグしてメモできるのだ。同じようなことはiPadOS標準のクイックメモ機能（P32で解説）を使えば可能だが、Flexcil 2の場合は、ノートにまとめたPDFのテキストや画像と、PDFの該当箇所が、相互にリンクするようになっているのがポイント。PDFのリンクをタップしてノートのまとめ箇所を開いたり、ノートのリンクをタップして参考元のPDFページを開くといったことを素早く行えるのだ。必要な項目をノートに羅列しておいて、タップするだけでいつでも元の資料を参照できるので、プレゼンの作成などもはかどるだろう。なお、PDFだけでなくWordやPowerPointの書類も読み込める。

PDFの内容と手書きノートのメモがリンク

Flexcil 2
作者 Flexcil Inc.
価格 無料

PDFと同じ画面でノートを開き、PDF内のテキストや画像をノートのメモとリンクできる、学習やまとめ資料の作成にピッタリのアプリ。無料版だと本当に基本的な機能しか使えないので、気に入ったらスタンダード版を購入しよう。価格は1,100円の買い切りで、15日間は無料で試用できる。

PDFを見ながらメモをとってリンクする

1 PDFに手書きで注釈を加える

PDFを開いたら、ページ内上部の注釈ツールで左端のボタンをタップすると、ペンやカラーを選択してPDFに手書きで注釈を書き込める。また左上の4つの四角ボタンでPDFのページを編集できる。

2 PDFを見ながらノートを呼び出す

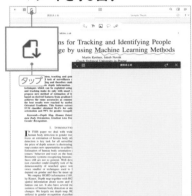

左上のノートボタンをタップするか、3本指で上にスワイプするとノートが表示される。ノート左上の4つの四角ボタンをタップすると、別のノートやPDFの表示に切り替えできる。

3 ドラッグ&ドロップでノートにメモ

テキストや画像を囲んでノートにドラッグ

注釈ツールを選択していない状態で、Apple PencilでPDF内のテキストや画像を囲むと、ノート内にドラッグして貼り付けできる。貼り付けたテキストや画像にはリンクが設定される。

4 リンクボタンでリンク先を参照する

タップ

PDFやノートのリンクボタンをタップすると、それぞれのリンク先が表示されるので、何についてまとめた内容かすぐに分かる。PDFとPDF、ノートとノートのリンクも可能だ。

iPadとiPhoneの連携機能を利用する

iPadとiPhoneの両方を持っているユーザーは、ぜひここで解説する連携機能を使ってみよう。作業を相互に受け渡したり、iPadでiPhoneの電話に応答するなど、2つのデバイスをシームレスにつなぐ便利な機能ばかりだ。

HandoffでiPhoneと作業を相互に引き継ぐ

iPadOSおよびiOSには、双方の端末でやりかけの作業を引き継げる、「Handoff」機能が搭載されている。例えば、移動中にiPhoneで書いていたメールを、帰宅してからiPadで開いて続きを書く、といったことが簡単にできるのだ。アプリ側がHandoffに対応している必要があるが、Appleの純正アプリであれば問題なく利用できる。なお、本機能を使うには、同じApple IDを使ってiCloudにサインインしており、BluetoothとWi-Fiの両方がオンになっていて、「設定」→「一般」→「AirPlayとHandoff」→「Handoff」がオンになっている必要がある。

1 Handoffが使えるよう設定しておく

オンにする

iPadとiPhoneの双方で、同じApple IDを使ってiCloudにサインインし、BluetoothとWi-Fiの両方をオン。さらに、「設定」→「一般」→「AirPlayとHandoff」→「Handoff」をオンにする。

2 Dockにアイコンが表示される

タップしてiPadで作業を再開する

iPhoneでメールを作成すると、iPadのDockには、Handoffのマークが付いたメールのアイコンが表示される。これをタップすればすぐに作業の引き継ぎが可能だ。

使いこなしヒント

iPadからiPhoneへ引き継ぐ場合は?

iPadの作業をiPhoneで引き継ぎたい場合は、iPhone側でAppスイッチャー画面を表示しよう。画面の下の方にiPadで作業中のアプリ名のバナーが表示されるので、これをタップすれば、作業を引き継いで再開できる。

iPhoneにかかってきた電話に
iPadで応答する

　iPhoneに電話がかかってきたけど隣の部屋にある……という時は、わざわ
ざ取りにいかなくても、iPadで応答できるので覚えておこう。いくつか設定が必
要で、まず両方の端末で同じApple IDでサインインしており、同じWi-Fiネット
ワークに接続する必要がある。またiPhone側では、「設定」→「電話」→「ほか
のデバイスでの通話」→「ほかのデバイスでの通話を許可」をオンにし、その
下の端末一覧でiPadのスイッチもオンにする。iPad側では、「設定」→
「FaceTime」→「iPhoneからの通話」をオンにしておこう。

1　iPhone側の通話設定

iPhoneでは「設定」→「電話」→「ほかのデバイ
スでの通話」→「ほかのデバイスでの通話を許
可」をオン、その下「通話を許可」の「iPad」もオ
ンに。

2　iPad側の通話設定

iPadでは「設定」→「FaceTime」→「iPhoneか
らの通話」をオンにしておく。これで、iPhoneにか
かってきた電話がiPadでも着信し、手元のiPad
で応答できるようになる。

FaceTime着信は応答する端末の使い分けもできる

FaceTime通話を着信した場合も、同じApple IDでサインしていれば、iPhoneとiPadの両
方で着信音が鳴る。ただFaceTimeの場合は、iPhoneとiPadで着信用アドレスを変えてお
くことで、相手によって応答する端末を使い分けることも可能だ。

iPadでもSMSのメッセージを
チェックする

iPadは仕様上SMSが使えないが、iPhoneを持っているなら話は別。iPhoneに届いたSMSを転送して、iPadで送受信することができるのだ。iPadを使っている時にわざわざiPhoneを取り出してSMSを確認しなくて済むので、設定しておくと便利だ。まず、iPhoneと同じApple IDでサインインを済ませ、メッセージの着信用の連絡先にiPhoneの電話番号を登録。あとはiPhone側で「設定」→「メッセージ」→「SMS/MMS転送」をタップし、iPad名のスイッチをオンにしておけば、iPhone経由でSMS（およびMMS）の送受信ができる。

1 | iPad側のメッセージ設定

iPadで「設定」→「メッセージ」を開き、Apple IDでサインイン。「送受信」をタップして、送受信アドレス欄のiPhoneの電話番号にチェックしておく。

2 | iPhone側のメッセージ設定

iPhoneでは「設定」→「メッセージ」→「SMS/MMS転送」をタップし、iPad名のスイッチをオンにしておく。

使いこなしヒント　メッセージをiCloudに保存して同期するには

iPadでもSMSをやり取りするなら、メッセージの同期を有効にしておこう。iPhoneとiPadの両方で、「設定」一番上のApple IDを開き、「iCloud」→「メッセージ」をオンにする。これでiCloudにメッセージの履歴全体が保存され、最新の状態で同期するようになる。

iPhoneとクリップボードを共有する

　iPhoneとiPadを両方持っている人は、「ユニバーサルクリップボード」機能でクリップボードを共有できる事を知っておくと、さまざまな作業スムーズに行えるはずだ。例えば、長文入力が楽なiPadで文章を仕上げてコピーすれば、iPhone側ではメールアプリなどにすぐ貼り付けできる。また、iPhone内にしかない写真をiPadのメモに貼り付けたい場合も、iPhoneで写真をコピーして、iPadのメモに貼り付けるだけでいい。P185で紹介した「Handoff」が使える状態なら、ユニバーサルクリップボード機能も使えるようになっている。

1 Handoffが使えるよう設定しておく

iPadとiPhoneの双方で、同じApple IDを使ってiCloudにサインインし、BluetoothとWi-Fiの両方をオン、「設定」→「一般」→「AirPlayとHandoff」→「Handoff」をオンにする。

2 iPadでコピーしてiPhoneにペースト

iPadでコピーしたテキストや写真は、iPhone側で「ペースト」をタップするだけで貼り付けることができる。

使いこなしヒント

Macともクリップボードを共有できる

iPhoneやiPadだけでなく、Macともクリップボードを共有できる。Macの場合は、同様に同じApple IDでサインインし、BluetoothとWi-Fiをオンにし、Appleメニューから「システム環境設定」→「一般」→「このMacとiCloudデバイス間でのHandoffを許可」にチェック。

iPhoneのモバイルデータ通信を
使ってネット接続する

　Wi-FiモデルのiPadを外出先でネット接続するには、Wi-Fiスポットやモバイルルータが必要となる。しかしiPhoneを持っていて、iPhoneで契約している通信キャリアでインターネットの共有機能（テザリング）が使える設定になっていれば、iPhoneのモバイル回線を経由してiPadをネット接続することが可能だ。iPhoneとiPadのテザリングは「Instant Hotspot」機能により、パスワードも不要でワンタップ接続できる。またiPhoneとの接続時は自動で省データモードになり、一定時間通信が行われないとテザリングは自動でオフになる。

1 Wi-Fi設定画面でiPhone名をタップ

iPadとテザリング契約中のiPhoneの双方で、同じApple IDを使ってiCloudにサインインし、BluetoothとWi-Fiをオンにしておけば、iPadの「設定」→「Wi-Fi」→「インターネット共有」欄にiPhone名が表示される。このiPhone名をタップしよう。

2 iPhone経由でネットに接続した

Instant Hotspotでの接続中、iPadには上記のようなステータスアイコンが表示される。また、iPhoneの時刻表示部分が上記のように緑色に変わる。Safariなどでネット接続を確認しよう。

> **使いこなしヒント**
> **テザリング中は省データモードになるよう設定**
> テザリング中のデータ通信量が気になるなら、iPadの「設定」→「Wi-Fi」で、iPhone名をタップし「省データモード」のスイッチをオンにしよう。写真同期や自動アップデートが一時停止され、iPhone経由の通信量が節約される。

Androidの モバイル データ通信を 使ってネット 接続する

　P189で解説したテザリングによるインターネット共有は、iPhoneとiPadの組み合わせだけで使える機能ではない。通信キャリアとテザリング契約を済ませたAndroidスマートフォンを持っていれば、Androidスマートフォンのモバイル回線を利用して、iPadをネット接続することも可能だ。ただし「Instant Hotspot」機能には対応しないので、ワンタップで手軽に接続できるわけではない。あらかじめAndroid側でテザリング機能を有効にし、パスワードを確認した上で、iPad側でパスワードを入力して接続する必要がある。

1 Androidデバイスで テザリングをオン

機種によって若干設定が異なる場合があるが、「設定」→「ネットワークとインターネット」→「テザリング」で「Wi-Fiテザリング」をオンにしておく。

2 ネットワーク名と パスワードを確認

ネットワーク名（SSID）とパスワードを確認しておく。それぞれの項目をタップして自由に変更することもできる。

3 iPad側でパスワード を入力して接続

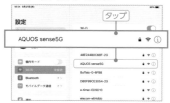

iPadで「設定」→「Wi-Fi」を開き、Androidで確認、設定したネットワーク名をタップする。続けてパスワードを入力し、「接続」をタップすればよい。

クラウドと
ファイル管理
の仕事技

パソコン上のファイルをいつでもiPadで扱えるようにする

Dropboxでデスクトップなどを自動バックアップしよう

　会社のパソコンに保存した書類をiPadで確認したり、途中だった作業をiPadで再開したい場合は、クラウドサービスのDropboxを利用しよう。特に、仕事上のあらゆるファイルをデスクトップ上に保存している人は、Dropboxの「パソコンのバックアップ」機能をおすすめしたい。パソコンのデスクトップ上のフォルダやファイルが丸ごと自動同期されるので、特に意識しなくても、会社で作成した書類をiPadでも扱えるようになる。ファイルは更新された時点ですぐに同期が開始されるので、PDFに手書きで注釈を入れたい時だけiPadで開いて作業し、注釈が反映されたPDFをパソコンで開き直して編集を再開するといった使い方もできる。なお、Dropboxは無料プランだと2GBしか使えないので、デスクトップに大量のファイルを保存していると、あっという間に容量が足りなくなる。デスクトップ上のファイルサイズを気にしながら利用するか、思い切って2TBまで使える有料プランに加入しよう。

1 | パソコンにDropbox をインストールする

> ご利用を開始するには Dropbox
> をダウンロードしてください
>
> Dropbox をダウンロード

まずパソコンのWebブラウザでhttps://www.dropbox.com/installにアクセスし、インストーラをダウンロード。インストーラを実行して、Dropboxのインストールとログインを済ませよう。

2 | Dropboxフォルダが 作成される

デフォルトでは、C:\Users\ユーザー名に「Dropbox」フォルダが作成される。このフォルダに保存したファイルは、自動的にクラウド上のDropboxと同期される。

使いこなし
ヒント

無料プランの接続台数制限を回避する

Dropboxの無料プランでは3台までしか同期できない制限があるが、これはDropbox公式アプリで接続した場合。「Documents」(P196で解説)などのアプリからアクセスすれば、台数制限は関係ない。

1 | Dropboxの基本設定を開く

WindowsのシステムトレイにあるDropboxアイコンをクリックし、右上のユーザーボタンで開いたメニューから「基本設定」をクリックする。Macの場合は、ステータスメニューのDropboxアイコンをクリック。ユーザーアイコンをクリックして、続けて「基本設定」を選択。

2 | バックアップの設定ボタンをクリック

Dropboxの基本設定画面が開くので、「バックアップ」タブをクリック。続けて「このPC」や「このMac」欄にある「設定」ボタンをクリックしよう。

3 | 「デスクトップ」にチェックする

Dropboxで自動同期するフォルダを選択する。仕事の書類をデスクトップのフォルダで整理しているなら、「デスクトップ」だけチェックを入れて「設定」をクリック。指示に従って設定を進めよう。

4 | バックアップフォルダが作成される

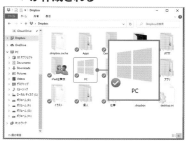

Dropboxの「PC」→「Desktop」フォルダに、パソコンのデスクトップにあるファイルやフォルダがすべて同期される。同期したフォルダ内のファイルを削除すると、Dropboxとパソコンの両方から削除されるので注意しよう。

iPadからパソコン上のファイルにアクセスする方法

1 | Dropbox公式アプリ でアクセスする

iPadでDropboxアプリを起動し、「PC」を開くと、会社のパソコンでデスクトップなどに保存した書類を確認できる。テキストはアプリ内で直接編集できるが、PDFやWord、Excelなどの編集は対応アプリで開く必要がある。

2 | 「ファイル」アプリ でアクセスする

公式アプリをインストール済みだと、標準の「ファイル」アプリのサイドバーにも「Dropbox」を追加してアクセスできる。多くの標準アプリやiCloudと連携できるようになり、マークアップ機能でPDFや画像に直接書き込むことも可能だ。

3 | サードパーティ製アプリで アクセスする

PDF Expert

P154で解説している「PDF Expert」やP196から紹介する「Documents」は、Dropboxの公式アプリを使わなくてもDropboxと連携できるため、接続台数の制限は関係ない。Dropbox内のPDFファイルに直接注釈を入れたり編集することもできる。

Word／Excel

P122で紹介している「Word」や「Excel」も、Dropboxの公式アプリ不要で連携が可能だ。Office 365のサブスクリプション契約を済ませれば、Dropbox内のオフィス文書を直接編集できる（10.1インチ以下の旧iPadは無料で編集可能）。

Dropboxの容量を追加購入する

1 | Web版Dropboxで アップグレードする

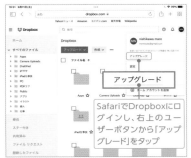

アップグレード

SafariでDropboxにロ グインし、右上のユー ザーボタンから「アップ グレード」をタップ

Dropboxの容量制限を超えると「パソコンのバック アップ」による自動同期は停止する。無料プランの 容量2GBで使い続けるのが厳しい場合は、有料プ ランに加入しよう。iPadの公式アプリで購入すると 割高な月額料金しか選べないので、Web版 Dropboxで年間払いの購入がおすすめ。

2 | プランを選択して 購入する

ビジネス向けプランを選ぶ 場合はこちらをタップ

プランを選択して「今すぐ 購入」をタップ

個人向けの有料プランは、「Plus」が容量2TBで 15,840円／年（税込）。「Family」が容量2TBで 家族6人まで共有できて26,400円／年（税込）。 他にビジネス向けプランも用意されている。有料プ ランを購入すると、公式アプリで接続できるデバイ ス数の制限もなくなる。

使いこなし ヒント **iCloudやGoogleドライブでも デスクトップなどを同期できる**

iCloudの同期機能 を利用する

チェックすると、iCloudド ライブ上に「デスクトッ プ」と「書類」フォルダが 作成され自動で同期する

Macのデスクトップや書類フォルダのファイルを iPadで扱いたいなら、iCloudで同期した方が簡 単。Macで「システム環境設定」→「Apple ID」→ 「iCloud」を開き、「iCloud Drive」の「オプショ ン」ボタンをクリック。"デスクトップ"フォルダと "書類"フォルダにチェックしよう。

Googleドライブの 同期機能を利用する

「フォルダを追加」をク リックして、同期したい フォルダを選択する

Googleドライブでも自動同期の設定が可能だ。 パソコンに「パソコン版Googleドライブ」をイン ストールして設定を開き、「マイコンピュータ」画 面の「フォルダを追加」をクリック。デスクトップや ドキュメントなど、自動で同期したい任意のフォル ダを選択しよう。

iPadで扱うファイルは
すべてDocumentsで管理しよう
標準の「ファイル」より便利なファイル管理アプリ

　iPadには、端末内のファイルを管理するための「ファイル」アプリが標準で用意されている。iCloudや他の標準アプリとの親和性も高く、iPadをパソコンライクに使えるようになる便利なアプリなのだが、クラウドサービスの公式アプリをインストールしないとクラウドにアクセスできないため、Dropboxを使う場合は接続台数制限にひっかかりやすい。また、ZIP以外はうまく解凍できない場合が多く、拡張子も表示できないなど、やや機能的に物足りない。そこで、iPadで扱う仕事データの管理は、より多機能な「Documents」にまかせてしまおう。主要なクラウドサービスだけでなくFTPサーバなどにも接続でき、内蔵ブラウザでファイルのダウンロードも可能。操作性も直感的で分かりやすい。さまざまなファイル形式を表示できるマルチビューアとしても優秀だ。まずは、メールの添付ファイルや、クラウドにアップしたファイルを、「Documents」にすべて集めて一元管理しよう。集めたファイルは、別のアプリに受け渡したり、他のユーザーと共有したり、パソコンに転送したりと、iPadが仕事データのハブとして活躍するはずだ。

Documents
作者 Readdle
Technologies Limited
価格 無料

iPadのファイル管理には、標準の「ファイル」よりも多機能な「Documents」がおすすめ。iPadで扱う仕事ファイルはすべてこのアプリにまとめておこう。

接続先の追加とファイルの保存

1 「接続先を追加」で クラウドを選択する

サイドメニューの「接続先を追加」をタップすると、Documentsにアカウントを追加できるクラウドやサーバが一覧表示される。ここでは「Dropbox」をタップ。

2 クラウドとの 連携を許可する

画面の指示に従いDropboxにログインしたら、Documentsとの連携を許可しよう。これで、Documentsからアクセスできる接続先としてDropboxが追加される。

3 追加したクラウドに アクセスする

Dropboxの「パソコンのバックアップ」機能を有効にしておけば（P192で解説）、「PC」フォルダからパソコンのフォルダやファイルにいつでもアクセスして閲覧編集できる

追加したクラウドやサーバは、左メニューの「接続先」に表示される。タップするとそのクラウドやサーバに保存されたファイルが一覧表示される。

4 ファイルを ダウンロードする

Documentsに保存したいファイルやフォルダの「…」ボタンをタップ。続けて「ダウンロード」をタップすると、「マイファイル」の「ダウンロード」フォルダにファイルが保存される。

その他のファイルの保存方法

1 メールの添付ファイルを保存する

メールの添付ファイルは、ロングタップして「共有」→「Documents」で保存できる。共有メニューにアイコンがない時は、「その他」の候補から「Documents」を追加しておこう。

2 内蔵ブラウザでダウンロードする

左メニューの「ブラウザ」で内蔵ブラウザが使える。ファイルのリンクをロングタップして「リンク先をダウンロード」をタップすると、そのファイルを保存できる。

3 表示中のWebページを丸ごと保存する

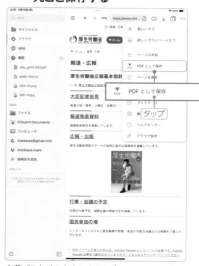

内蔵ブラウザの右上にあるオプションメニューボタンから「PDFとして保存」をタップすると、表示中のページをPDF形式で丸ごと保存できる。

ファイルを操作する

1 | 新規フォルダや ファイルの作成

画面右下の「+」ボタンをタップして、新規フォルダやPDF、テキストファイルを作成できる。カメラで撮影して書類をスキャンすることも可能。

2 | ファイルを 削除する

ファイルやフォルダの「…」ボタンをタップして「削除」をタップすると、そのファイルやフォルダを削除できる。

3 | ファイルを添付して メールを送る

ファイルの「…」ボタンから「メール」をタップすると、添付してメールを作成できる。フォルダの場合はZIPで圧縮して添付される。

4 | ファイルを アップロードする

ファイルの「…」ボタンから「アップロード」をタップすると、追加済みのクラウドやサーバにファイルをアップロードできる。

複数のファイルを選択して操作する

1 | 複数のファイルを選択する

右上の「…」→「選択」をタップすると選択モードになる。複数のファイルをタップしてチェックを入れていこう。

2 | 複数選択したファイルを操作する

サイドメニューで操作を選択

複数ファイルを選択した時はサイドメニューが表示され、コピーや移動、削除といった操作を行える。ロングタップして左メニューにドラッグし、まとめて他のフォルダに移動することも可能。

3 | iPadの標準操作でも複数選択できる

他のクラウドやフォルダにドラッグして移動できる

iPadの標準操作でも複数のファイルを選択できる。1つのファイルをロングタップして浮かび上がったら少し動かし、そのまま他の指で別のファイルを選択していこう。まとめてドラッグ&ドロップで操作できる。

4 | Split Viewでファイルを渡す

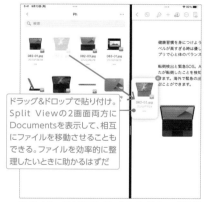

ドラッグ&ドロップで貼り付け。Split Viewの2画面両方にDocumentsを表示して、相互にファイルを移動させることもできる。ファイルを効率的に整理したいときに助かるはずだ

Split Viewにも対応しているので、他のアプリにドラッグ&ドロップでファイルを受け渡せる。例えばPagesで作成中の書類に、Documentsから画像などをドラッグして貼り付けることが可能だ。

ファイルを圧縮・解凍する

1 | ファイルやフォルダを圧縮する

ファイルやフォルダの「…」→「圧縮」をタップすると、ZIP形式で圧縮したファイルが作成される。

2 | 複数のファイルを圧縮する

複数のファイルを圧縮するには、ファイルを選択して、サイドメニューの「圧縮」をタップする。

3 | 解凍は圧縮ファイルをタップするだけ

圧縮ファイルはタップするだけで、そのファイル名が付いたフォルダが作成され中身が解凍される。ZIP以外にRARファイルの解凍も可能だ。

4 | パスワード付きZIPやRARの解凍も可能

パスワード付きのZIPやRARファイルをタップすると、入力欄が表示される。パスワードを入力して「OK」をタップすれば解凍できる。

Wi-Fi Transferでパソコンとファイルをやり取りする

　パソコンとのファイルのやり取りは、P192から解説しているようにDropboxの「パソコンのバックアップ」機能で自動同期しておくのが便利だが、Dropboxで同期していないパソコンのファイルをiPadに取り込みたい場合は、Documentsの「Wi-Fi Transfer」機能を使おう。パソコンとiPadが同じネットワークに接続中であれば、Webブラウザを使って簡単にファイルを転送できる。

1 コンピュータ画面で暗証番号を確認

iPadとパソコンが同じネットワークに接続された状態で、Documentsのサイドメニューにある「コンピュータ」をタップ。表示される4桁の数字を確認する。

2 パソコンのブラウザで暗証番号を入力

パソコンのWebブラウザでhttps://docstransfer.com/にアクセスし、先程Documentsで表示された4桁の番号を入力しよう。

3 Documentsとファイルをやり取りできる

Documents内のフォルダやファイルが表示される。チェックして「ダウンロード」で保存したり、「ファイルをアップロード」でパソコンからファイルを転送できる。

DocumentsとDropboxのフォルダを同期させる

Documentsには、クラウドサービスの任意のフォルダをiPad内にダウンロード保存し、オフラインでもアクセス可能にする「同期フォルダ」という便利な機能がある。オフライン時に変更を加えたファイルは、次回オンラインになった時に自動で同期される仕組み。これを利用して、Dropboxの「PC」フォルダ（P192から解説）を同期フォルダに設定しておけば、パソコンのデスクトップやドキュメントにあるファイルを、オフライン時でもiPad上で扱える。ただし、すべてのファイルをiPadに保存することになるので容量には注意しよう。

1 フォルダを選択して「同期」をタップ

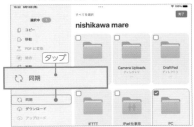

Dropboxにアクセスしたら、同期フォルダに設定したいフォルダを選択する。パソコンと自動同期する「PC」（P192で解説）や、共有フォルダ（P204で解説）を同期フォルダにしておくと便利だ。選択したらサイドメニューの「同期」をタップ。

2 マイファイルに同期フォルダが作成される

「同期フォルダ」のファイルはiPad内に保存されているので、オフラインでもアクセスして編集できる

マイファイルに「同期フォルダ」が作成され、同期フォルダに設定したフォルダがダウンロードされる。ローカルに保存されているので、オフラインでも自由にアクセスして編集できる。

3 オンライン時に自動で同期する

オフライン時に編集を加えたファイルは「保留中」になる。次回オンラインになった時に、自動的にクラウドにアップロードされ同期する。

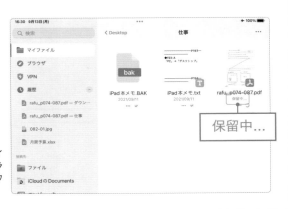

保留中…

Dropboxのフォルダを
他のユーザーと共有する

グループでファイルを共同管理しよう

　仕事で同じファイルを他のユーザーと共有したい時に便利なのが、Dropbox
の共有フォルダ機能だ。まずはDropboxアプリをインストールして、共有したいフォ
ルダを選択し、メールアドレスなどで招待を送信しよう。招待された相手が
Dropboxで共有フォルダを追加すると、フォルダ内のファイルを共有できるように
なる。共有相手には、ファイルの編集権限を与えるか、閲覧のみ許可するかも選
択可能だ。この共有フォルダは、P203で解説しているように、Documentsとの
同期フォルダに設定しておこう。これで、iPadからはオフラインでも共有フォルダ
の中身を確認できるとともに、オンライン時はリアルタイムで同期されて、常に最
新のファイルにアクセスできるようになる。

Dropboxアプリで共有フォルダを作成

1 | Dropboxアプリで 共有をタップ

Dropbox
作者 Dropbox
価格 無料

まず、Dropboxアプリで共有フォルダを作成してお
こう。他のユーザーと共有したいフォルダの、「…」→
「共有」→「フォルダに招待」をタップする。

2 | ユーザーを追加して 共有する

メールアドレスなどを入力して「共有」をタップ。相手
が招待に応じて、共有フォルダをDropboxに追加
すれば、このフォルダの内容を共有できる。

共有フォルダをDocumentsの「同期フォルダ」に設定しておこう

1 | 共有フォルダを確認する

DocumentsでDropboxにアクセスし、共有したフォルダを確認しよう。共有フォルダには人形のシルエットが表示されている。

2 | 共有フォルダを同期フォルダにする

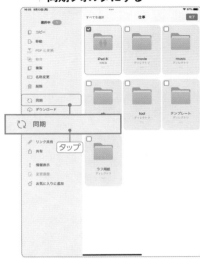

共有フォルダは「同期フォルダ」に設定しておくと便利だ。共有フォルダを選択したら、サイドメニューの「同期」をタップしておこう。

3 | 「同期フォルダ」に保存される

マイファイルの「同期フォルダ」内に共有フォルダが作成される。ここで編集したファイルは、オンライン時にDropboxの共有フォルダと同期され、他のユーザーが編集した内容も反映される。

クラウド経由で大きい
ファイルを送信する

Dropboxの共有リンクや、iCloudのMail Dropで送ろう

　書類や画像などを相手に送りたい時は、数MB程度のサイズならメールに添付すればよいが、まとめて数百MBを超えるサイズになってしまうとメールには添付できない。そんな時は、ファイルを一度クラウドサービスにアップロードして、その保存先リンクを相手に知らせてダウンロードしてもらう方法が最適。Dropboxの場合は、公式アプリで共有したいフォルダやアプリを選び、「…」→「共有」→「リンクを共有」で共有リンクを作成できる。このリンクを受け取った相手は、Dropboxにログインしなくてもファイルの閲覧やダウンロードが可能だ。また標準のメールアプリを使っているなら、大容量のファイルもそのまま添付して送信ボタンをタップすればよい。添付ファイルのサイズが大きすぎると、「Mail Dropを使用」というメニューが表示されるのでこれをタップ。ファイルはiCloudに一時的にアップロードされ、相手にはダウンロードリンクのみが送信される。アップロードされたファイルは最大30日間保存されるので、相手は30日以内ならいつでもリンクをクリックして、ファイルをダウンロードすることができる。

Dropboxの共有
リンクで送信する

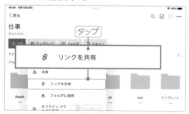

Dropboxの公式アプリで共有したいフォルダやアプリを選び、「…」→「共有」→「リンクを共有」をタップ。共有リンクがコピーされるので、メールなどに貼り付けて共有したい相手に知らせよう。

iCloudの「Mail Drop」
機能で送信する

標準メールアプリで、大容量のファイルを添付して送信ボタンをタップすると、「Mail Dropを使用」と表示される。これをタップすると、ファイルはiCloudに保存され、相手にはダウンロード先のリンクのみ送信する。

操作
自動化
の仕事技

いつもの操作をワンタップで 実行するショートカット

複数の操作を一括処理して時間を節約しよう

　iPadで行う複数の操作をまとめて自動実行するための標準アプリが「ショートカット」だ。標準アプリとの連携はもちろん、TwitterやEvernote、Dropboxなど、一部の他社製アプリと連携させることもできる。まずはショートカットアプリの「ギャラリー」画面を開いてみよう。「会議中は消音にする」「自宅への経路を検索」といったショートカットが最初から用意されており、どんな事ができるかイメージできるはずだ。これらをそのまま利用してもいいし、アクションを追加したり修正して自分で使いやすいよう改良してもいいし、変数や正規表現を使ってもっと複雑な処理を行うショートカットを自作することもできる。ショートカットで省略できる時間は1回につきわずか数秒でも、積み重なれば時短の効果は絶大だし、ルーティーン操作のストレスも大きく軽減されるはずだ。

ショートカットはウィジェットなどから実行できる

ロングタップして「ウィジェットを編集」で、表示させるショートカットのフォルダを選択できる

ショートカットは、Siriの音声や作成したアイコン、共有メニューのほか、ウィジェットからも実行できる。ウィジェットは従来だと横画面でしか固定表示できなかったが、現在はホーム画面の好きな場所に配置することが可能だ（P14で解説）。よく使うショートカットをフォルダに振り分けておいて、ウィジェットの編集でそのフォルダだけ表示させておくと使いやすい。

「ショートカット」の機能と画面の見方

1 | サイドメニューを開く

左から右にスワイプするとサイドメニューが開く。左下のフォルダボタンをタップすると、フォルダを作成してショートカットを整理できる。「編集」でフォルダの削除や並べ替えが可能。

2 | ギャラリーからショートカットを取得

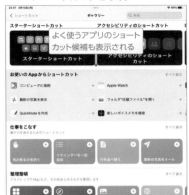

サイドメニューで「ギャラリー」をタップすると、あらかじめ用意されたショートカットが一覧表示される。まずはこれらのショートカットを追加して使ってみるのがいいだろう。

3 | マイショートカットで管理する

ギャラリーから取得したショートカットは、「マイショートカット」→「すべてのショートカット」画面で管理する。上部の「+」ボタンで、自分で一からショートカットを作成することも可能。

4 | 特定条件で自動実行するオートメーション

「オートメーション」画面では、時刻や場所、設定などの指定条件を満たした時に、自動的に実行するショートカットを作成できる。

アプリを横断する複雑な処理を
ショートカットで自動化する

自分でショートカットを作成してみよう

　　ここでは、P208で紹介した「ショートカット」アプリで、具体的にどんな事ができるのか、どのように作成していけばいいかを見ていこう。例えば、恒例の打ち合わせ場所が2箇所あり、どちらの場所で何時に打ち合わせするかをカレンダーに登録して、同席するメンバーにも毎回メールで知らせるとしよう。ショートカットを使えば、これら複数アプリにまたがる操作を、あっという間に処理できるようになる。「リストから選択」などのアクションや変数を利用したショートカットを実行すれば、打ち合わせ場所と日時を指定するだけで、いつものメンバーに打ち合わせの予定を一斉送信できるのだ。このような操作を一括処理するショートカットを、自分で一から作成する手順と、作成したショートカットをSiriなどを使って実行する方法を説明する。

ショートカットの構成を確認する

ショートカットの「…」をタップすると、そのショートカットがどのようなアクションで構成されているか確認できる。最初はギャラリーのショートカットをベースに、自分で他のアクションを追加していくと作りやすい。

自分でショートカットを作成する手順

1 | 「＋」ボタンで新規 ショートカットを作成

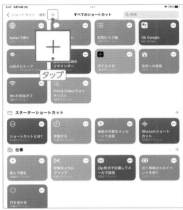

ここでは、打ち合わせ予定を作成してメール送信する
ショートカットを作成する。まず「マイショートカット」
→「すべてのショートカット」画面で上部の「＋」ボタ
ンをタップ。

2 | 「入力を要求」を タップして追加

ショートカットを構成するアクションは、右欄で選択し
ていく。上部の検索欄で「入力を要求」を検索し、
タップして追加しよう。

3 | 質問を入力して 入力の種類を選択

「プロンプト」欄に「開始時刻」と入力。続けて隣の
「テキスト」欄をタップし、入力の種類を「日付と時
刻」に変更しておく。

4 | 入力から日付を 取得を追加

次に「入力から日付を取得」というアクションを検索
し、タップして追加しよう。これで、「開始時刻」で入
力した日付を取得できる。

5 | 終了時刻も取得するよう設定する

終了時刻用の「入力を要求」と「入力から日付を取得」を追加

同じ手順で「入力を要求」を追加し、今度は「終了時刻」と入力して、種類を「日付と時刻」に設定。また「入力から日付を取得」も追加しておく。

6 | 住所アクションで1つ目の住所を入力

「住所」で住所を入力

次に「住所」というアクションを検索してタップ。イベント作成時に複数の住所を切り替えて選択したいので、ここでは1つ目の住所を入力する。

7 | 「住所」という変数に追加する

変数名の入力欄に「住所」と入力

続けて「変数に追加」を検索しタップ。「変数名」欄に「住所」と入力しよう。これで、上で入力した住所をいったん「住所」という変数に保存する。

8 | 2つ目の住所も同様に設定する

2つ目の住所と「変数に追加」を登録

もう一度「住所」アクションを追加し、2つ目の住所を入力。「変数に追加」で、上に入力した住所を「住所」という変数に保存する。

9 | リストから選択を追加する

「リストから選択」というアクションを探して追加しよう。すると、「住所」変数に保存した2つの住所から選択できるようになる。

10 | 新規イベントを追加を設定していく

「新規イベントを追加」を検索して追加。「明日の正午」入力欄をタップして、キーボード上部にある、「変数を選択」ボタンをタップする。

11 | 新規イベントの開始時刻を選択

マジック変数の選択画面が表示される。「開始時刻」で取得した、最初の「日付」をタップして選択しよう。

12 | 新規イベントの終了時刻を選択

続けて、「明日の午後1時」入力欄をタップして「変数を選択」ボタンをタップし、「終了時刻」で取得した、2番目の「日付」を選択。

13 イベントタイトルを設定する

「タイトル」入力欄をタップし、キーボード上部の変数一覧にある「毎回尋ねる」をタップ。これで、イベントタイトルは毎回入力することになる。

14 場所、カレンダー、通知を設定

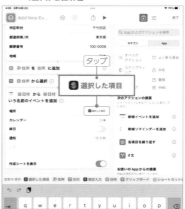

続けて「>」をタップして下に詳細画面を開く。まず「場所」欄は、「変数を選択」ボタンで「選択した項目」を選択する。「カレンダー」と「通知」も設定しておこう。

15 メールを送信を追加する

最後に、「メールを送信」アクションを検索して追加。新規イベントを送信する宛先を選択し、件名を入力しておこう。

16 ショートカットが完成した

以上で、場所をリストから選んで新規イベントを作成し、そのイベントをical形式で添付してメール送信するショートカットができた。右上の「完了」をタップすると、「マイショートカット」に登録される。

Siriで実行できるショートカット名を入力する

1 ショートカット名を入力する

マイショートカット画面で作成したショートカットの「…」をタップし、左上のショートカット名をタップして名前を付けておこう。ここでは「打ち合わせ」と入力した。

2 Siriの音声で実行できるようになる

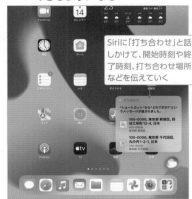

Siriに「打ち合わせ」と話しかけて、開始時刻や終了時刻、打ち合わせ場所などを伝えていく

ショートカットに付けた名前が、Siriショートカットの音声コマンドも兼ねる。Siriに「打ち合わせ」と話しかけてみよう。作成したショートカットが実行されるはずだ。

ショートカットのアイコンをホーム画面に追加する

1 ホーム画面に追加をタップ

ショートカットの「…」をタップし、右欄上部の設定ボタンをタップ。続けて「詳細」タブにある、「ホーム画面に追加」→「追加」をタップする。

2 アイコンが作成される

タップして実行

ホーム画面にこのショートカットのアイコンが作成される。タップするとショートカットを実行できる。

ショートカットのカラーとグリフを変更する

1 ショートカットの アイコンをタップ

作成したショートカットは、好きな色とアイコンに変更することもできる。作成したショートカットの「…」をタップし、左上のショートカットアイコンをタップしよう。

2 アイコンの色や 種類を変更

「カラー」タブでアイコン色、「グリフ」タブでアイコンのデザインを変更できる。分かりやすいものを選んでカスタマイズしておこう。

使いこなし
ヒント

うまく動かない時は 再生ボタンでテスト

作成したショートカットがうまく動作しない時は、ショートカットの「…」をタップしてアクション一覧を開き、上部にある再生ボタンをタップしよう。現在処理中のアクションがハイライトされ、順に実行されていく。このアクションの動きを見ていくと、どこの処理でストップしているかを確認できる。設定を失敗していたら、元の画面に戻ってアクションの内容を修正しよう。

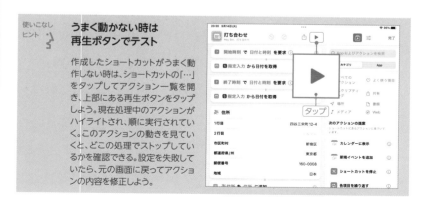

作成したショートカットを実行した際の操作

　ここまで作成したショートカットを実際に使ってみよう。手動で行うと、まずカレンダーを起動し、開始日時や終了日時を選択し、場所を入力して……といった作業が必要だが、ショートカットの場合は、表示される項目から選択するだけで自動的に処理できる。また複数アプリにまたがって操作が必要な場合も、それぞれのアプリを個別に起動する必要がなく、シームレスに操作できる。

1 | 開始時刻や終了時刻を設定する

↓

作成した「打ち合わせ」ショートカットを実行しよう。まず開始時刻と終了時刻の設定画面が表示されるので、日時を指定して「完了」をタップ。

2 | リストから場所を選択してタイトルを入力

↓

登録しておいた2つの住所から、打ち合わせ場所を選択する。続けて、イベントのタイトルを入力して「完了」をタップする。

3 | 新規イベントをカレンダーに追加する

選択した開始／終了時刻や場所、タイトルなどが入力済みの状態で新規イベントの作成画面が開くので、「追加」をタップしてカレンダーに追加。

4 | 打ち合わせ日時のメールを送信する

追加したイベントが添付され、複数の宛先や件名が入力された状態で、メールの送信画面が開く。あとは送信ボタンをタップして送信するだけ。

ピンポイントに
力を発揮する
おすすめ仕事アプリ

ここでは、仕事の主力として活躍するわけでは
ないが、あると助かる優良アプリを紹介する。フ
リーランスにおすすめの請求書作成アプリや、
リモートワークで助かるホワイトボードアプリな
ど、ぜひ一度試して欲しいツールばかりだ。

iPadをWindowsパソコンの
サブディスプレイにする

iPadをMacのサブディスプレイにする「Sidecar」(P253で解説)と似た機能を、Windowsでも実現するアプリが「Duet Display」だ。Windows側で専用ソフトを起動し、iPadでもアプリを起動しておけば、あとはUSBケーブルで接続するだけ(ワイヤレスで接続するには2,200円/年が必要)で、iPadをWindowsパソコンの2台目のディスプレイとして使える。Windowsの画面の延長先にiPadの画面があるので、余分なウインドウをiPad側に置いて画面を広く使ったり、ファイルを2つの画面で開いて見比べながら効率よく作業することが可能だ。

1 | パソコンとiPadに アプリをインストール

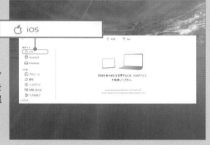

Duet Display
作者 Duet, Inc.
価格 1,220円

パソコン側では、公式サイト(https://ja.duetdisplay.com/)からWindows用ソフトを入手して起動。設定の左メニューで「iOS」を選択しておく。またiPad側でもアプリを起動しよう。初回起動時はユーザー登録を求められるが、ケーブルで接続して使うだけなら登録は不要だ。

2 | ケーブルで接続してiPadをサブディスプレイにする

iPadの画面
はタッチ操作
が可能

WindowsとiPadでそれぞれ「Duet Display」を起動し、USBケーブルで接続すると、iPadがWindowsのサブディスプレイになる。標準設定では、Windowsの画面の右端とiPadの画面の左端が地続きになり、マウスポインタが行き来できる。iPad側の画面も、カーソルを移動すればマウスで操作できるほか、指やApple Pencilを使ったタッチ操作も可能だ。

iPadだけで請求書を
作成して送付する

　個人事業主として仕事をしていると、毎回見積書や請求書を作成して取引先に送るのは、必要な作業とはいえ面倒なもの。この面倒な書類をあっという間に完成させて、送付まで行えるアプリが「Misoca」だ。まずは、下部メニューの「取引先」で取引先の情報を登録し、「設定」で自社情報や印影なども入力しておこう。あとは下部メニューの「文書」画面で、項目に沿って請求内容などを入力するだけ。作成した請求書は、PDFファイルとしてメールや共有リンクで送信できるほか、有料プランなら自動で紙請求書として印刷し郵送できる。

1 請求書などの作成
画面で項目を入力

Misoca
作者 yayoi
価格 無料

あらかじめ取引先情報や自社情報の入力を済ませておき、下部メニューの「文書」を開く。作成する書類を「見積書」「納品書」「請求書」から選び、「＋」ボタンをタップして項目を入力していこう。

2 プレビューを確認
して送付する

タップして送付方法を選択

作成した書類の詳細を開いて、下部のサムネイルをタップすると、プレビューが表示される。内容を確認して問題なければ、「発行方法を選択」をタップし、メールや郵送で取引先に送付しよう。

使いこなし
ヒント

無料プランと有料プランの違い

無料プランだと、見積書や納品書の作成、取引先の登録、会計サービスとの連携などは無制限で行えるが、請求書の作成のみ月間5通までに制限される。800円／月から用意されている有料プランを契約すると、月あたりに作成できる請求書の数が増え、請求書の郵送（1通につき160円）機能も利用できる。

コンビニのコピー機で
プリントアウトする

プリンタがないのに書類を印刷しなければいけない、という時に便利なのがセブンイレブンの「netprint」サービスだ。iPadから書類や写真をアップロードし、セブンイレブンのコピー機で予約番号を入力するだけで、印刷ができるのだ。24時間使えてA3印刷も利用可能。レーザープリンタなので出力もきれいだ。出先で急に書類が必要になっても、すぐに対応できる。料金は白黒が20円から、カラーが60円からとやや割高だが、プリンタ本体とインク代を考えれば、こちらのほうがランニングコストを低く抑えられる。

1 | 印刷したい ファイルを選択

かんたんnetprint
作者 FUJIFILM Business Innovation Corp.
価格 無料

右下の「+」から、印刷したい写真や文書ファイルを選択。続けて用紙サイズやカラーモードも指定したら「登録」をタップ。

2 | 予約番号を確認 してコンビニへ

プリント予約番号を確認し、セブンイレブンのコピー機で「プリント」→「ネットプリント」を選択、プリント予約番号を入力すれば印刷が開始される。

使いこなし
ヒント

セブンイレブン以外で印刷するには

セブンイレブン以外のコンビニを使って印刷したいなら、シャープの「ネットワークプリント」アプリを使おう。ファミリーマートまたはローソン、ポプラで、Word/Excel/PowerPointのオフィス文書や、写真、PDFファイルを印刷できる。

iPadからパソコンを
リモート操作する

　パソコンにある資料を出先のiPadでも見たいけど、クラウドに全部保存して
おく容量が足りないし、いちいちiPadにダウンロードするのも手間がかかる。
iPadから会社のパソコンを自由に操作できたらいいのに……という願望を実
現してくれるのが、リモートデスクトップアプリだ。中でも、接続の容易さと安定
性の高さから人気のサービスが「TeamViewer」。パソコン側で専用のサー
バーソフトを起動し、表示されたIDとパスワードをiPadのアプリ側に入力するだ
けで、iPadからパソコンを遠隔操作できるようになる。

1 パソコンでサーバー
ソフトを起動しておく

**TeamViewer:
Remote Control**
作者 TeamViewer
価格 無料

パソコン側にもTeamViewerのサーバーソフトを
インストールしておき、起動。「使用中のID」と「パ
スワード」を確認しておく。

2 iPad側のアプリで
パソコンに接続する

iPadのTeamViewerアプリを起動
し、IDとパスワードを入力すると、パ
ソコンの画面が表示される。ドラッ
グでカーソルを操作しタップでクリッ
クできるほか、キーボード入力も可
能だ。

iPadにも便利な
電卓アプリを入れておく

　iPhoneと異なりiPadには「計算機」アプリが標準搭載されていない。サッと計算できないのは意外と不便なので、電卓アプリを1つインストールしておこう。おすすめは、入力した計算式がそのまま表示される「Calcbot 2」。入力ミスをまとめてクリアせずに、1文字ずつ削除できる点も使いやすい。さらにiPadで使う場合、SplitViewに対応している点もポイント。他の画面を見ながら電卓で計算できて便利だ。なお、計算結果の履歴を表示したり、単位換算や為替レート換算を使うには、有料版のアップグレードが必要になる。

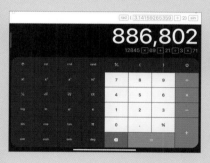

1 計算式がそのまま 表示される

Calcbot 2
作者 Tapbots
価格 無料

計算結果の下にこれまでの計算式がそのまま表示され、間違いを確認しやすい。入力ミスを1文字ずつ削除できる点も便利だ。ただし履歴の確認と再利用は有料機能だ。

2 SplitViewにも 対応している

iPadで使う場合は、Split Viewにもしっかり対応している。片方で資料を見ながら計算することが可能だ。

複数人で同時に書き込める
ホワイトボード

　これまで会議室のホワイトボードに書き出して視覚的に共有していたような情報は、オンラインミーティングだと伝えるのが意外と難しい。そこで利用したいのが、複数人で同じ画面に書き込めるホワイトボードアプリだ。「Microsoft Whiteboard」なら、iOS／iPadOS以外に、Windows 10やAndroid（企業や学校のみ、個人でも利用可の予定）でも利用でき、Webブラウザ（企業や学校のみ）からも使えるなど、幅広いユーザー同士で画面を共有できる。手書きだけでなく、テキスト入力やメモの追加、Word文書の挿入なども可能だ。

1 ｜ 共有リンクをコピーして相手に送信する

Microsoft Whiteboard
作者 Microsoft Corporation
価格 無料

タップして共有リンクをコピー

ホワイトボード画面を開いたら、上部の共有ボタンをタップし、「Web共有リンク」のスイッチをオン。続けて「リンクのコピー」をタップし、コピーしたリンクを共有したい相手に送信する。

2 ｜ 同じホワイトボードに書き込みできる

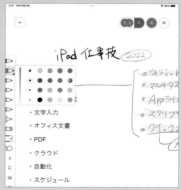

・文字入力
・オフィス文書
・PDF
・クラウド
・自動化
・スケジュール

共有リンクからアクセスしたすべてのユーザーが、同じ画面に書き込める。ペンツールで手書き入力できるほか、テキストやメモ、画像なども挿入できる。

使いこなしヒント　会議内容に合ったテンプレートを利用する

ツールバーの「+」ボタンから「テンプレート」をタップすると、新しいアイデアを生み出すための「ブレーンストーミング」や、進行状況を確認しやすい「かんばん」など、利用シーンに合わせて書き込みやすいテンプレートを選択できる。

スケジュールと
タスク管理
の仕事技

標準カレンダーを
Googleカレンダーと同期する

Googleカレンダーをメインに使っている人は必須の設定

　普段のスケジュール管理をGoogleカレンダーで行っている人は、iPadとGoogleカレンダーを同期しておこう。まずは「設定」→「カレンダー」→「アカウント」→「アカウントを追加」でGoogleアカウントを設定しておく。これにより、iPadの標準カレンダーアプリがGoogleカレンダーと同期されるようになるのだ。また、この設定をあらかじめ済ませておけば、一般的な他社製カレンダーアプリでも、標準カレンダーアプリを介してGoogleカレンダーとの同期が可能となる。カレンダーのデータ自体はGoogleカレンダーと同期しつつ、インターフェイスとしてのカレンダーアプリは自分の使いやすいアプリを使う、といった運用方法がおすすめだ。もちろん、Googleが提供している公式のGoogleカレンダーアプリを使ってもいい。

標準のカレンダーでもGoogleカレンダーを同期できる

表示させたい
カレンダーを
設定しよう

画面左上のボタンから同期中
のカレンダーの表示／非表示
を設定できる

標準のカレンダーアプリの初期状態では、iCloudカレンダーと同期される。設定でGoogleアカウントを同期させておけば、標準カレンダー上でGoogleカレンダーを表示することが可能だ。

Googleアカウントを設定で登録しておこう

1 「カレンダー」の設定から アカウントを追加

Googleカレンダーを標準カレンダーに同期する場合は、「設定」→「カレンダー」→「アカウント」→「アカウントを追加」をタップしよう。

2 サービス一覧から Googleを選択する

次の画面でiPadで同期に対応しているサービス一覧が表示される。今回はGoogleカレンダーを同期させたいので「Google」を選択しよう。

3 アカウントとパスワードを 入力して認証する

Googleのアカウント認証画面が表示されるので、Googleアカウント（Gmailアドレス）とパスワードを入力。Googleアカウントにログインしよう。

4 同期したい項目をオンにして 「保存」で設定完了だ

同期に対応しているアプリ一覧が表示される。カレンダー以外にも、必要に応じてメールや連絡先をオンにして「保存」をタップしよう。これで設定は完了だ。

使いこなし
ヒント

予定作成時は登録先の カレンダーをしっかり設定しよう

各種カレンダーアプリで予定をGoogleカレンダーに登録したい場合は、予定作成画面で、登録先のカレンダーをGoogleカレンダーにしておくこと。どのカレンダーに予定を追加するかをしっかり意識しておくのが大事だ。

Outlookの予定表を
iPadと同期する方法

Outlook.comを介すことで簡単に同期設定が可能

　パソコンで使っているOutlookの予定表をiPadに同期してみよう。設定方法はいくつかあるが、最も確実なのはパソコンのOutlookで「Outlook.com」と同期した予定表を利用し、iPad側の「カレンダー」→「アカウント」設定でOutlook.comと同期しておく方法だ。まずは、Outlook.comにアクセスして「～@outlook.com」のメールアドレスを取得しておこう（すでに持っている人は不要）。次に、パソコンのOutlookを起動し、このメールアドレスでアカウントを追加する。最後にiPad側でOutlook.comとの同期設定を行えば設定完了だ。これで標準カレンダーアプリでもOutlook.comのカレンダーを表示できるようになる。

「～@outlook.com」のメールアドレスを取得して設定する

1 | iPadのSafariで Outlook.comにアクセスする

Outlook.com
https://outlook.live.com/

まずはSafariでOutlook.comにサインインしたら、画面右上の設定（歯車）アイコンをタップ。一番下の「Outlookのすべての設定を表示」をタップし、設定画面で「メール」→「メールを同期」を開く。

2 | アカウントエイリアスを 新規で取得する

「プライマリエイリアスを管理または選択」をタップして、Microsoftアカウントでサインイン。次の画面で「メールの追加」をタップし、「～@outlook.com」のメールを取得して追加しておこう。

パソコンのOutlookでOutlook.comと同期する

1 取得したアカウントを追加しておく

「~@outlook.com」のメールアドレスでアカウントを追加する

パソコンでOutlookを起動したら、「ファイル」→「情報」→「アカウントの追加」から、「~@outlook.com」のメールアドレスでアカウントを追加しておこう。なお、すでにOutlook.comと同期しているアカウントがある場合、この設定は不要だ。

2 Outlookと同期したカレンダーで予定を管理する

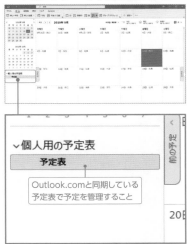

Outlook.comと同期している予定表で予定を管理すること

これでOutlook.com経由で同期されるアカウントが登録された。新しく予定表が追加されるので、今後はそこで予定を管理するようにしよう。

標準カレンダーアプリでOutlook.comのカレンダーを表示

1 iPadでOutlook.comとの同期設定を行う

iPadで「設定」→「カレンダー」→「アカウント」→「アカウントを追加」をタップ。「Outlook.com」を選んで、同期したいOutlook.comのアカウントでサインインを済ませておく。

2 表示するカレンダーを設定する

画面左上のボタンからOutlook.comのカレンダー表示を設定する

標準のカレンダーアプリを起動し、画面左上のボタンをタップ。Outlook.comと同期しているカレンダーから表示したいものを選択しよう。

メールの文面から
予定や連絡先を登録

打ち合わせの日時や場所をカレンダーに即登録する

　仕事のメールで「9月20日の14時から新宿の×××で打ち合わせを行います」といった内容を受信した際、すぐにカレンダーアプリで予定を追加しておきたい……。そんなときに覚えておくと便利なのが、標準のメールアプリから予定を追加するワザだ。メールの文中にある日時（アンダーラインが引かれる）をロングタップして「イベントを作成」を選べば、すぐにカレンダーのイベントを作成することができる。メールの内容を判断して、最適な日時や場所などの情報を自動でセットしてくれるので、素早く予定を登録可能だ。また、メールの文中にある電話番号や住所なども、ロングタップすれば連絡先にすぐ登録できる。

日時や連絡先情報をロングタップして登録しよう

1 日付や時刻を ロングタップする

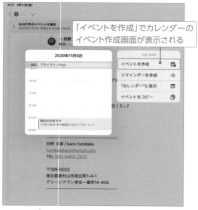

メールアプリでメール中に書かれた日付や時刻をロングタップ。上のようなメニューが表示されるので、「イベントを作成」でカレンダーに追加しよう。

2 電話番号や住所を ロングタップする

電話番号や住所などの連絡先情報をロングタップして、「連絡先に追加」を選べば、その情報を連絡先として登録することが可能だ。

共有カレンダーを作成して
複数人で予定を共有する

プロジェクトの予定をメンバー間で共有できる

　複数のメンバーで仕事やイベントのスケジュールを共有したい、といったときに便利なのが共有カレンダー機能だ。共有カレンダーの設定は、利用しているカレンダーサービスによって設定方法が異なる。iCloudカレンダーの場合は、標準カレンダーアプリから設定することが可能だ。また、Googleカレンダーの場合は、WebブラウザからGoogleカレンダーにアクセスして設定しておこう。

iCloudとGoogleカレンダーの共有設定方法

1 | iCloudカレンダーを 共有する場合

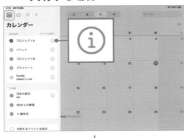

↓

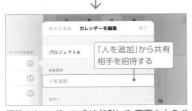

「人を追加」から共有相手を招待する

標準のカレンダーアプリを起動して、画面左上のボタンをタップ。共有したいカレンダーの「i」ボタンをタップし、「人を追加」から共有する相手のメールアドレス（Apple ID）を入力しよう。招待メールが送られ、相手にカレンダーが共有される。

2 | Googleカレンダーを 共有する場合

Googleカレンダー
https://calendar.google.com/

↓

「ユーザーを追加」から共有相手を招待する

Googleカレンダーの場合、標準カレンダーアプリ上では共有設定が行えない。SafariでGoogleカレンダーにアクセスして、共有したいマイカレンダーの右横にある設定ボタンをタップ。「設定と共有」から共有設定を行おう。

日時とイベント名をまとめて 入力できるカレンダーアプリ

面倒な予定の入力をスマートに行いたいならコレ

　カレンダーアプリで予定管理するとき、面倒なのが予定の登録だ。たいていの アプリでは、イベント名を決めて、日付を入力し、時間を選んで保存する、といった 具合に、いくつかのボタンを操作する必要がある。しかし、ここで紹介するカレン ダーアプリ「Calendars 5」なら、テキスト入力で日時とイベント名を一気に設定す ることが可能だ。たとえば、「＋」ボタンでイベントを新規作成したあと、イベント名 の入力欄に「9/3 10am ミーティング」と記入してみよう。これだけで、9月3日の 午前10時という日時が設定された状態でイベントが登録できる。いちいちボタン で日時を設定するよりもスピーディだ。登録した予定は、タスク／日／週／月／年 といった5つの形式で表示を切り替えでき、見やすい状態で管理が可能。また、タ スク管理機能も搭載され、期日が設定されたタスクをカレンダーに表示してくれる のも便利だ。使いやすいカレンダーアプリを探している人は、ぜひ試してみよう。

テキスト入力で日時とイベント名を同時に設定可能

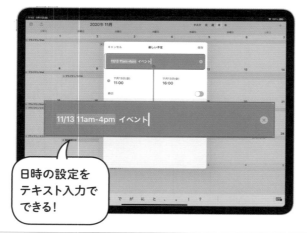

日時の設定を テキスト入力で できる！

Calendars 5 by Readdle
作者 Readdle Inc.
価格 3,680円

画面右上の「＋」ボタンを タップして予定を追加しよ う。入力欄にテキストで 「11/13 11am-4pm イベ ント」などと入力すれば、日 付と時間、イベント名を同時 に登録できる。なお、英語で あれば文章入力での予定 登録も可能だが、日本語に はまだ対応していない。

Calendars 5で予定やタスクを管理してみよう

1 | 同期するカレンダーを設定しておく

オンを確認して「次へ」をタップ

アプリを起動したら、まず同期するカレンダーを設定しよう。「ローカル」をオンにしておけば、標準カレンダーアプリと同期する。

2 | カレンダーの表示形式を変更する

| タスク | 日 | 週 | 月 | 年 |

5種類の表示形式を選択可能。「タスク」はタスク管理機能

カレンダーの表示形式は画面右上のボタンから切り替えることが可能だ。自分が最も使いやすい形式を選んで、予定を書き込んでいこう。

3 | 新規に予定を追加する

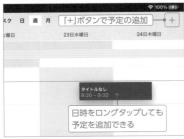

「+」ボタンで予定の追加

日時をロングタップしても予定を追加できる

予定を追加したい場合は、画面右上の「+」ボタンをタップしよう。カレンダー上の日付や時間帯をロングタップすることでも予定を追加できる。その場合は、日時が指定された状態で予定を作成可能だ。

4 | カレンダー上でタスクを管理する

期日を設定しておけば、カレンダーにもタスクが表示される

表示形式を「タスク」に設定すれば、タスク管理が可能。タスクは標準のリマインダーアプリと連携される。なお、タスクに期日が設定してある場合は、カレンダーにも予定が表示されるのでわかりやすい。

使いこなしヒント

デフォルトのカレンダーを設定しておこう

複数のカレンダーサービスと同期している場合などは、予定追加時に最初に選択されるデフォルトカレンダーを設定しておこう。画面左下の設定（歯車）ボタンを押したら、「デフォルトのカレンダー」から設定可能だ。

設定する

直接手書きで書き込める
カレンダーアプリ

システム手帳派も満足できる手書きカレンダー

　スケジュールはデジタルで管理した方が便利なのは分かっていても、紙の手帳に直接書き込んだほうが覚えやすいし見やすい……という人にピッタリなのが「Planner for iPad」。カレンダー上に手書きで直接予定を書き込めるカレンダーアプリだ。打ち合わせでスケジュールを相談する際にも、手書きでサッと予定を書き込めて、システム手帳感覚で使える。また紙の手帳と違い、複数の手帳を作成して使い分けできるほか、月／週／日の表示を切り替えたり、手書き文字の修正や移動も簡単。付箋やマスキングテープを貼り付けたり、写真やスタンプも追加して、画面をにぎやかに彩ることもできる。アナログとデジタルのいいとこ取りをした画期的なアプリだ。標準カレンダーと同期するには、歯車ボタンから「カレンダー設定」→「標準カレンダーと連携する」をオンにすればよい。

Planner for iPad
作者 Takeya Hikage
価格 無料

手書きで予定を書き込める、デジタルとアナログを融合したカレンダーアプリ。指での書き込みも許可できるが、基本的にiPadとApple Pencilを組み合わせて、システム手帳のように使うのが前提だ。

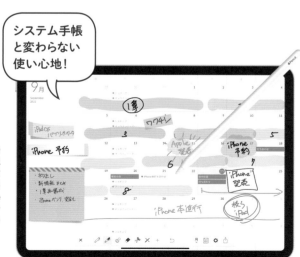

システム手帳
と変わらない
使い心地！

送信日時設定で
Gmailをリマインダーにする

自分自身にメールを送ってタスクを忘れないようにする

　Gmailは、送信日時を指定してメールを送信することが可能だ。この機能を応用すれば、Gmailをリマインダーとして活用できる。リマインドしたい内容をメールのタイトルにして、送信日時を指定したメールを自分自身に出してみよう。すると、指定した日時にメールが送信および受信され、iPadで通知が表示される。普段からGmailを使っている人なら、必ず通知をチェックするので見落とすこともないはずだ。突発的に発生した重要なタスクを通知させたい場合に使うと便利。

送信日時を指定して自分宛てにメールを送ってみよう

1 メールの送信日時を 指定する

Gmail
作者 Google LLC
価格 無料

送信日時を指定する

まずはGmailで自分宛てにメールを作成。メールタイトルにタスク内容を記入したら作成画面の右上にある「…」ボタンをタップし、「送信日時を設定」から日時を指定してメールを送信しよう。

2 メール送信の予定時刻に 通知が表示される

通知が表示されない場合は、「設定」→「通知」→「Gmail」から通知設定を確認しておこう

指定時刻にメールが送信されると、Gmailアプリで受信され、通知が表示される。これなら、やるべきことを忘れることがなくなるはずだ。

使いこなし ヒント

送信予定をキャンセルする

送信日時を指定したメールをキャンセルしたい場合は、左上のメニューから「送信予定」をタップ。該当するメールの「キャンセル」をタップすればいい。

送信をキャンセルする

リマインダーで
タスク管理を行う

毎日のタスクを効率的に管理できる

「出社したらA氏にアポイントを取る」、「週末までに自転車を修理に出す」、「会社の帰りにスーパーで牛乳を買う」、など、日々発生するタスクや覚えておきたいことは、iPad標準の「リマインダー」アプリで管理しておこう。締め切りのあるタスクなら、日時を指定して通知するように設定しておけば、要件をうっかり忘れてしまうということもなくなる。また、リマインダーごとに場所を登録できるため、自宅や会社などに到着したタイミングで通知を表示することも可能だ。リマインダーの繰り返しにも対応し、「3ヶ月に1回、オンラインミーティングの予定を組む」といったタスクも簡単に登録できる。登録したリマインダーはiCloudで同期されるので、iPhoneやパソコンからでもチェック可能だ。

仕事のタスクから買い物メモまで一元管理できる

タスクをシンプルに管理しよう!

各種リマインダーは、リストごとに管理することが可能。締め切りの日時を設定することもできる

標準のリマインダーアプリは、シンプルで使いやすいタスク管理機能を備えている。仕事のタスクはもちろん、買い物メモとしても利用可能だ。素早くタスクを登録できるので、ちょっとした要件をメモ代わりに保存しておくのにも便利。

タスクを管理するリストを用途別に複数作っておこう

1 | 「リストを追加」を タップする

まずは、タスク管理用のリストをいくつか作っておこう。マイリスト内にリストを新規作成するには、画面下にある「リストを追加」をタップする。

2 | リストの名前と アイコン、色を設定する

リストごとに、名前やアイコンや色を設定しておこう

リストは「仕事」や「プライベート」といった用途別に作っておくといい。リストの名前とアイコン、色を設定したら、右上の「完了」をタップして作成完了だ。

3 | 使いやすいように リストを並べ替えておく

三本線マークをドラッグして並べ替え

画面上の「編集」をタップすると、マイリストの並べ替えや削除が行える。また、各リストの「i」ボタンをタップすれば、名前やアイコンを再設定可能だ。

複数のリストを グループでまとめる

使いこなしヒント

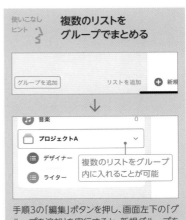

複数のリストをグループ内に入れることが可能

手順3の「編集」ボタンを押し、画面左下の「グループを追加」を実行すると、新規グループを作成できる。グループは、複数のリストをフォルダ的にまとめられる機能だ。

リマインダーを登録して管理する

1 | リストを選択して 新規リマインダーを作成

新規リマインダーを作成したい場合は、画面左のマイリストから登録するリストを選択。画面下にある「新規」をタップしよう。

2 | リマインダーの内容を 入力していく

リマインダーの入力画面になるので、覚えておきたいことを入力していく。キーボードのEnterキーを押せば、すぐ次のリマインダーを入力可能だ。

3 | 達成できたら 実行済みにする

登録したリマインダーを実行できたら、○マークをタップして実行済みにしておこう。実行済みにした項目は、自動的に非表示となる。

使いこなしヒント 実行済みの リマインダーを表示する

実行済みのリマインダーを再び表示したい場合は、画面右上の「…」をタップして「実行済みを表示」を選択しよう。

リマインダーに指定日時や場所を登録して通知させる

1 | 指定した日時で通知させる

リマインダーの項目をタップして「i」ボタンをタップ。「日付」と「時刻」をオンにすれば、指定日時に通知させることが可能だ。

2 | 指定した場所で通知させる

「場所」では、場所を指定して通知させることが可能だ。たとえば、自宅に着いたときに「ゴミを捨てる」などのリマインダーを通知させることができる。

リストを複数の人と共有して使う

1 | リストを選択して「リストを共有」をタップ

リストは複数人で共有することが可能だ。マイリストから共有するリストを選択したら、画面右上の「…」から「リストを共有」をタップする。

2 | リストの共有方法を選択する

「メッセージ」や「メール」、「リンクをコピー」などから共有方法を選択し、参加者に参加依頼を送信。招待したメンバーのみ共有リストにアクセスできる。

使いこなしヒント

項目の削除やフラグ付けの方法

リマインダーの項目を左にスワイプすると、「フラグを付ける」と「削除」のボタンが表示される。フラグは、目立たせたい項目に付けておくといい。

スケジューリングやタスク管理にLINEを利用する

LINEが物足りなければLINE WORKSを利用しよう

　小規模な職場やプロジェクトでやり取りしたいときは、LINEでグループを作成するのが手っ取り早い。LINEは多くの人がアカウントを持っているので参加してもらうハードルが低く、メールよりも素早く確実に情報共有できる。ただ仕事のスケジュールやタスクを管理するには機能的に物足りず、特にiPad版LINEだとLINEスケジュールや投票などの機能も使えない。もっと本格的にビジネスで活用したいなら「LINE WORKS」を使ってみよう。これはLINEとはまったく別のアプリなのだが、画面がLINEとそっくりで直感的に操作でき、チームで共有するカレンダーや進捗を管理できるタスクなど、ビジネス向けの強力な機能を利用できるツールとなっている。ただしメンバー全員がLINE WORKSアカウントを取得してアプリのインストールも済ませる必要があるので、参加してもらうハードルは少し高い。なお、LINE WORKSは、通常のLINEユーザーとトークができる点も大きな特徴だ（トークのみで通話はできない）。これを利用して、プライベート用のLINEを仕事相手に教えたくない人は、LINE WORKSアカウントを作成し、仕事相手のLINEアカウントとやり取りするといった使い方もできる。

仕事のやりとりをLINEグループで行う

LINE
作者 LINE Corporation
価格 無料

LINEで同じ職場やチームのメンバーを招待して仕事用のグループを作成しておけば、連絡事項の通達もスムーズに行える。グループ通話なども可能だ。なお、iPad版LINEではiPhoneと同じLINEアカウントでログインし、同じトーク内容を表示できるが、LINEスケジュールなど一部機能が使えない制限がある。

> 小規模なチームの管理ならLINEで十分！

1 | LINE WORKSの トーク画面

LINE WORKS
作者 WORKS MOBILE Corp.
価格 無料

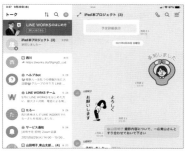

LINE WORKSのトーク画面はLINEとほぼ同じ。スタンプでやり取りしたり、ファイルや画像の送信、グループ通話なども可能だ。なおLINE WORKSでは、誰が既読で誰が未読かも個別に確認できる。

2 | カレンダーで全員の 予定を確認できる

左下メニューの「カレンダー」をタップすると、グループの予定や他のメンバーの予定を確認できる。予定の招待への回答や、メンバーの空き時間を確認しながら予定を作成するといった操作も可能。

3 | タスク機能で やるべきことを管理

業務の発注や連絡など、やるべきことを管理するにはタスク機能を使う。タスクの内容と依頼者や担当者を設定すれば、担当者の「タスク」画面にタスクのリストが一覧表示される。

4 | 通常のLINEユーザー とトークする

「アドレス帳」画面の「+」→「LINEユーザーを追加」から招待することで、通常のLINEユーザーともトークできる。ただし、スタンプを使ったり画像を送ることは可能だが、通話はできない。

チームのコミュニケーションを
Slackで円滑に行う

定番のビジネスチャットアプリをiPadで使ってみよう

　今や多くの企業で導入されている「Slack」。Slackとは、簡単に言えばLINEグループのようなグループチャット機能を、仕事向けにより使いやすくしたビジネスチャットアプリだ。メンバー間で資料のファイルを共有したり、新しい企画のアイディアを提案したりなど、仕事上のコミュニケーションをメールよりも円滑に行うことができる。まだ使ったことがない人は、この機会にぜひ試してみよう。

Slackをインストールしてサインインする

1 | アプリを起動して「Slackを始める」をタップ

Slack
作者 Slack
Technologies, Inc.
価格 無料

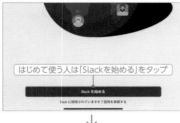

はじめて使う人は「Slackを始める」をタップ

↓

アプリを起動したら、「Slackを始める」をタップ。続けて「メールで続ける」をタップするか、Apple IDまたはGoogleアカウントを使って認証しよう。

2 | メールアドレスを入力して認証メールのボタンをタップ

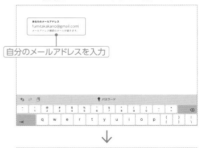

自分のメールアドレスを入力

↓

iPadのメールアプリを起動して「メールアドレスの確認」をタップ

「メールで続ける」をタップした人は、自分のメールを入力しよう。認証メールが届くので、iPadのメールアプリで確認し、メール内のボタンをタップする。

ワークスペースを作成してメンバーを招待する

　Slackでは、プロジェクトごとにワークスペースを新規作成し、そこにメンバーを招待してコミュニケーションを行う。ワークスペースには個別のURLが発行され、参加メンバーはURLからワークスペースにアクセス可能だ。ワークスペースを新規作成するのであれば、以下のように作成してメンバーを招待しよう。なお、Slackでは、参加するワークスペースごとに個別のアカウントを作成する必要がある。

1 | ワークスペースを新規作成する

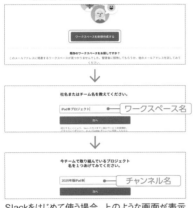

Slackをはじめて使う場合、上のような画面が表示される。ワークスペースを新しく作るなら「ワークスペースを新規作成する」をタップ。社名またはチーム名とプロジェクト名を設定しておこう。

2 | ほかのメンバーをワークスペースに招待する

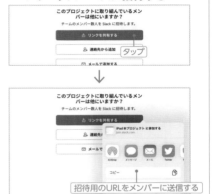

メンバーの招待画面になるので、「リンクを共有する」をタップして、参加メンバーにメールやメッセージを送信する。なお、あとからでもメンバーは招待することが可能だ。

3 | ワークスペースとチャンネルが作成される

あとは通知をオンにして「Slackでチャンネルを表示する」をタップすると、作成したワークスペースの画面が表示される。招待した他のメンバーが参加してくるのを待とう。

既存のワークスペースに参加するには?

　自分でワークスペースを作らずに、他のユーザーが作ったワークスペースに参加したいときは、ワークスペースの参加者に招待メールを送ってもらおう。届いたメールをメールアプリで表示し、「今すぐ参加」ボタンを押せば、Slackが起動する。あとは、そのワークスペース用のアカウントを新規作成すれば参加が可能だ。

1 ワークスペースの参加者が 招待を行う

まずはワークスペースの参加者から招待メールを送ってもらう。招待メールは、画面右上のオプションボタンで表示される「メンバーを招待」から送れる。

2 招待メールの 「今すぐ参加」をタップ

招待された側には、Slackからメールが届く。メール内に記載された「今すぐ参加」ボタンをタップしよう。

3 アカウントを 作成する

アカウントの作成画面が開くので、氏名とパスワードを入力して「次へ」をタップ。これで、招待されたワークスペースに参加できる。

4 複数のワークスペースを 切り替える

サイドバーを右にスワイプすると、ワークスペースの切り替えメニューが表示される。複数のワークスペースに参加している場合は、ここから切り変えることが可能だ。

チャンネルを作成してメッセージを送受信しよう

Slackでは、ワークスペース内に複数の「チャンネル」を作成でき、チャンネルごとにメッセージやファイルを共有することが可能だ。標準では「#general」や「#random」などのチャンネルが用意されているが、必要であればチャンネルを追加しておこう。プロジェクトや話題ごとでチャンネルを分けてもいいし、部署やオフィス単位でチャンネルを分けてもOKだ。なお、各チャンネルは、ワークスペースのメンバー全員が参加できる「パブリック」と特定のメンバーだけ参加できる「プライベート」のどちらかに設定しておける。

1 | チャンネルを新規作成しよう

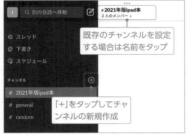

チャンネル一覧の「+」をタップして、チャンネルを新規作成する。既存のチャンネルを設定する場合は、チャンネル名をタップして名前をタップしよう。

2 | チャンネルの設定を行っておく

「作成」をタップしたらチャンネル名や説明などを入力。プライベートチャンネルにするかも設定しよう。全員参加のチャンネルはパブリックのままにする。

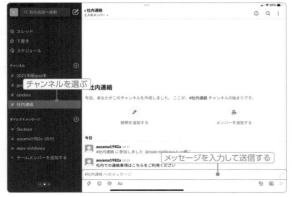

3 | メッセージでやり取りしよう

メッセージの送信方法は簡単だ。やり取りしたいチャンネルをタップして、画面下の入力欄にメッセージを入力。「送信」ボタンでメッセージが送信できる。ファイルや画像も送信することが可能だ（プランによってファイルストレージに保管できる容量は変わる）。

245

読んでもらいたい相手がいる場合はメンションを設定する

　チャンネルに投稿するメッセージで、読んでほしいメンバーを指定したいときは「メンション」を使おう。メンションは、「@」の後ろにユーザー名を指定すれば設定できる。メンションされたメンバーには通知されるので、確実に読んでもらいたいメッセージだけに利用しよう。なお、メンション付きのメッセージもチャンネルに参加している全員が閲覧可能だ。

1 @をタップしてメンバーを選択する

メンション付きのメッセージを送る場合は、「@」ボタンをタップ。一覧表示されたメンバーから目的のユーザー名をタップすればメンションを指定できる。

2 メンション付きのメッセージを送信する

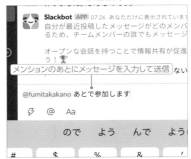

「@ユーザー名」の後ろにメッセージを入力。「送信」をタップしてメッセージを送信しよう。メンションされたメンバーには通知が表示される。

3 特殊なメンションを使ってみよう

「@channel」のような特殊なメンションも用意されている（右表参照）。夜中に重要なメッセージを送る際、通知でメンバーを起こしたくないときなどは、「@here」を使うといい。

Slackでよく使われるメンション

メンション	概要
@ユーザー名	チャンネルに参加している特定ユーザーに対して呼びかける
@here	チャンネルに参加しているメンバーで、現在オンライン状態のユーザーに呼びかける
@channel	チャンネルに参加している全メンバーに呼びかける
@everyone	#generalチャンネルで利用する。参加している全メンバーに呼びかける

メッセージに対して絵文字でリアクションする

Slackでは、Facebookの「いいね!」のように、メッセージに対して絵文字でリアクションを送信することができる。リアクションしたいメッセージをタップしてから、絵文字マークで送信する絵文字を選ぼう。

1 リアクションする メッセージをタップする

メッセージに絵文字でリアクションしたい場合は、まずリアクションするメッセージをタップしよう。

2 絵文字マークをタップして 絵文字を送信する

メッセージの下に表示される絵文字マークをタップして、送信したい絵文字をタップすればOKだ。

使いこなし
ヒント

ダイレクトメッセージを 送信する

指定した相手に1対1でメッセージを送る場合は、メンバー名を選択してからメッセージを送信しよう。また、最大8人までのグループダイレクトメッセージを送る場合は、サイドバーを左にスワイプしてからメンバーを設定すればいい。

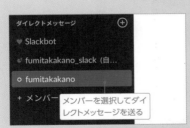

1対1でダイレクトメッセージを送る場合は、ダイレクトメッセージを送るメンバー名を選択してからメッセージを送信すればいい。

複数人へのダイレクトメッセージを送る場合は、サイドバーを左にスワイプしてから画面上のボタンをタップ。送信するメンバーを指定すればOKだ。

Trelloでプロジェクトの
タスクを管理する

今抱えているタスクをわかりやすく整理できる

　「Trello」は、ボードに貼られたリストやカードを自由に入れ替えながら、タスクを管理していくツールだ。イメージとしては、付箋にタスクを書き込んで、ホワイトボードに貼り、進捗に応じて「実行中」や「完了」といったエリアに分類する、といった感じで使える。トヨタ自動車が実践していることで有名な、いわゆる「かんばん方式」に似たタスク管理方法だ。この方法だと全体像が見やすく、効率的にタスクを管理することができる。また、ボードは一人で使うこともできるし、複数のメンバーを招待して共有して使うことも可能。たとえば、資格試験のために勉強する項目を整理したり、プロジェクトでのタスクをメンバーごとに割り振ったり、グループ旅行での買い物リストをまとめたりなど、いろいろな活用ができる。使いやすいタスク管理ツールを探している人は、ぜひ試してみよう。

カードを自由に入れ替えながらタスク管理ができる

Trello
作者 Trello, Inc.
価格 無料

ボードの上にリストを作り、その中にカードを並べてタスクを管理していく。カードには画像やラベル、メモなどを設定可能。カード自体はドラッグ&ドロップで自由に並べ替えができる。

チームでの
タスク管理にも
最適！

アカウントを作成してTrelloを触ってみよう

　Trelloは、プロジェクトごとに「ボード」を作成し、複数の「リスト」内に「カード」を配置してタスクを管理していく。このあたりは実際に使わないとイメージが沸かないと思うので、まずはTrelloのアカウントを作成して使ってみよう。すでにアカウントを持っている人はメールアドレスとパスワードでログイン可能だ。

1 | アカウントを作成するか ログインする

Trelloをはじめて使う人は、アプリ起動後「使用を開始する」タップ。すでにアカウントを持っている人は「ログイン」をタップしてログインしておこう。

2 | 新規アカウントを 作成する

新規アカウントを作成する場合、既存のメールアドレスのほか、Apple IDやGoogle、Microsoft、Slackアカウントを利用することができる。

3 | ボード画面が 表示される

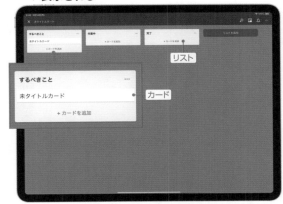

これがボードの画面だ。ボード内には横方向にリストがいくつか並び、リスト内には複数のカードを入れられる。まずはいろいろ操作して使い方に慣れておこう。

使いこなし
ヒント

左上の「×」で ボードを閉じる

画面左上にある「×」ボタンをタップすると、ボードを閉じてTrelloのトップ画面に戻ることができる。トップ画面からは別のボードを作成することが可能だ。

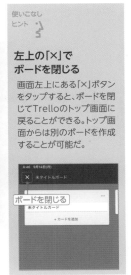

Trelloでタスク管理を行う方法

　Trelloは、多種多様な使い方ができるため、最初はどう扱えばいいのか分かりづらいところがある。そこで、まずは個人的なタスク管理を行って、Trelloの基本操作を把握しておこう。「するべきこと」、「作業中」、「完了」などの進捗状況別にリストを分け、個々のタスクをカードに書いて分類していくのだ。

1 | 個人的なタスク管理を行う方法

「リストを追加」でリストを追加しておこう

「カードを追加」でリスト内にカードを追加できる

Trelloでタスク管理を行う場合、「するべきこと」、「作業中」、「完了」といったリストを作るのが基本。個々のタスクはカードに記して、進捗状況に応じて各リストを分類していくのだ。まずは、思い付く限りに「するべきこと」をカードに入力していこう。

2 | 各カードはドラッグ&ドロップで分類できる

カードをドラッグ&ドロップ

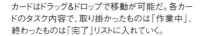

カードはドラッグ&ドロップで移動が可能だ。各カードのタスク内容で、取り掛かったものは「作業中」、終わったものは「完了」リストに入れていく。

3 | カードごとにメモや期限ラベルなどを設定する

各カードをタップすると、詳細設定画面になる。必要であれば、メモや期限、ラベルなどを設定しておこう。画像や各種ファイルを添付することも可能だ。

使いこなしヒント

ラベル名を決めておくと分類しやすい

カードの詳細画面で、ラベルを追加したり、ラベルごとに色や名前をカスタマイズしたりできる。「重要」「仕事」など、好きなラベル名を付けておこう。

⏰ 期限は9月18日 22:21
🏷 仕事　重要

少人数のチームでタスク管理を行う方法

少人数のチームでタスク管理を行う場合は、担当者ごとにリストを作っておくといい。最初に全体のタスクをカードに書き出し、各担当者のリストに割り振っていくのだ。また、ボードを共有する際は、特定のメンバーを招待する方法と、ボード全体を公開状態に設定する方法がある。好きな方法で共有しよう。

1 チームでのタスク管理を行う方法

カードの詳細画面からカードごとにメンバーを割り振ることも可能

担当者ごとにリストを分けて、タスクを割り振る

少人数のチームでタスク管理を行う場合は、担当者ごとにリストを作成しておき、それぞれにタスクを割り振る形で管理するのがオススメ。各担当者が現在何に取り掛かっているのか、どれだけタスクが残っているか、などがひと目で分かるようになる。

2 特定のメンバーにボードを共有する方法

タップ

↓

招待するメンバーのユーザー名を検索して招待する

特定のメンバーのみにボードを共有したい場合は、画面右上の「…」から「招待する」を選び、ユーザー名を検索して追加しよう。この場合、メンバー全員がTrelloのアカウントを持っている必要がある。

3 インターネットに公開して多くの人に見られるようにする

「…」をタップして上部左から2つ目のボタンで公開範囲を変更

↓

共有ボタンから共有リンクを送信する

ボードを「公開」状態にすると、インターネット公開され、共有リンクを知っている人ならTrelloアカウントを持っていなくても閲覧できるようになる。ボードの編集は招待した人のみ可能だ。

C O L U M N

iPadとMacの
連携機能を
利用する

iPadユーザーでMacも使っている場合は、強力な
連携機能を利用しない手はない。iPadでMacの
ディスプレイを拡張できるSidecarをはじめ、便利す
ぎる機能をしっかり活用しよう。また、この秋リリースさ
れる最新のmacOS MontereyとiPadOS 15を組
み合わせれば、MacとiPadの両方をひとつのキー
ボードやマウス、トラックパッドを使ってシームレスに
操作できるようになる。注目の機能なので、macOS
がアップデートされたらチェックしてみてほしい。

iPadをMacの
サブディスプレイとして利用する

　Macを持っているなら、ぜひ利用したい機能が「Sidecar」だ。iPadの画面をMacの2台目のディスプレイとして使えるので、単純に作業スペースが広がるし、MacのアプリをiPadのApple Pencilで操作できるようにもなる。この機能を利用するにはいくつか条件があるので、まずは下記にまとめた利用条件を満たしているか確認しよう。条件さえ整っていれば、MacのAirPlayボタンから簡単に接続できる。Macの表示エリアを拡張する使い方と、Macの画面をミラーリングする使い方の2通りがある。

iPadをサブディスプレイとして使う手順

1 | コントロールセンターの ディスプレイから接続

クリックして接続。再度クリックすれば接続を解除できる

Macのコントロールセンターを開き「ディスプレイ」メニューをクリック。「接続先」欄に接続可能なiPad名が表示される。これをクリックしてSidecarで接続できる。

2 | ディスプレイの 接続方法を選択する

どちらかを選択

Macの画面の延長先にiPadの画面があるように使うなら「個別のディスプレイとして使用」を選択。Macと同じ画面をiPadに表示させるなら「内蔵Retinaディスプレイをミラーリング」を選択しよう。

Sidecarの利用条件

● macOS Catalina以降をインストールしたMac
● iPadOS 13以降およびApple Pencil（第1世代、第2世代どちらでも）に対応したiPad
● 両方のデバイスとも同じApple IDでサインイン
● ワイヤレスで接続する場合は、10メートル以内に近づけ、両デバイスでBluetooth、Wi-Fi、Handoffを有効にする。また、iPadはインターネット共有を無効にする
● ケーブルで有線接続する場合は、両デバイスともBluetooth、Wi-Fi、Handoffがオフでもよい。iPadでインターネット共有中でも利用できるが、その場合iPadのWi-FiとBluetoothはオンにする必要がある

個別のディスプレイとして使用

画面を広く使える

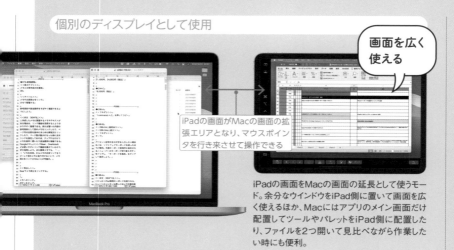

iPadの画面がMacの画面の拡張エリアとなり、マウスポインタを行き来させて操作できる

iPadの画面をMacの画面の延長として使うモード。余分なウインドウをiPad側に置いて画面を広く使えるほか、Macにはアプリのメイン画面だけ配置してツールやパレットをiPad側に配置したり、ファイルを2つ開いて見比べながら作業したい時にも便利。

内蔵Retinaディスプレイをミラーリング

ペンタブレット化できる

Macの画面と同じ内容がiPadの画面にも表示される

Macと同じ画面をiPadにも表示するモード。プレゼンなどで相手に同じ画面を見せたい時などに役立つほか、iPadをペンタブレット化できる点も便利。Macでイラストアプリを起動し、iPad側でApple Pencilを使ってイラストを描ける。

使いこなしヒント

iPadの画面はApple Pencilでのみタッチ操作が可能

Sidecarで接続中は、iPadの画面を指でタッチ操作できないが、Apple Pencilを使う場合のみタッチ操作できる。イラストを描いたり手書き文字を入力することもできるので、Sidecarを使うならApple Pencilもあったほうが便利だ。

ディスプレイの位置関係を変更する

個別のディスプレイとして接続中に、コントロールセンターの「ディスプレイ」→「"ディスプレイ"環境設定」の「配置」タブで、MacとiPadの画面の位置関係を変更できる。

iPadでサイドバーを使う

iPadの画面左にあるサイドバーで、メニューバーやDockを表示したり、装飾キーを使ったり、取り消しやキーボード表示、接続解除が可能。サイドバーは指でもタッチできる。

Sidecar利用中にiPadアプリを使う

Sidecarを利用中でも、ホーム画面に戻ればiPadのアプリを利用することが可能だ。Dockに表示されるSidecarのアイコンをタップすると、Sidecarの画面に戻る。

ウインドウを素早く移動する

Mac側のウインドウのフルスクリーンボタンにポインタを置き、「iPadに移動」で素早くiPad側に移動できる。iPad側では「ウインドウをMacに戻す」でMac側に戻せる。

iPadでTouch Barを使う

MacがTouch Bar非搭載の機種でも、iPadの画面下部にはTouch Barが表示され、アプリごとにさまざまなメニューを操作できる。TouchBarは指でも操作できる。

Mac側の解像度が下がる場合は

Sidecarでミラーリングした際に、Mac側の解像度が下がる場合は、コントロールセンターの「ディスプレイ」→「"ディスプレイ"環境設定」の「ディスプレイ」で解像度の設定を変更しよう。

Macで開いたPDFや画像に
iPadで指示を書き込む

　Macの書類や画像に手書きで指示や注釈を入れたい時に便利なのが、「連携マークアップ」機能だ。まず、MacでPDFやJPEGなどのファイルを選択してスペースキーを押し、クイックルックで内容をプレビュー表示する。この画面で上部のマークアップボタンをクリックすれば、すぐにiPadの画面にもファイルの内容が表示され、Apple Pencilを使って細かい注釈を書き込めるのだ。この機能は、MacとiPadで同じApple IDを使ってサインインしており、両方のデバイスでWi-FiとBluetoothが有効になっている時に利用できる。

1 Macでマークアップ ボタンをクリック

iPadに表示されない場合は、画面上部の「iOSデバイス上で注釈」ボタンをタップし、iPadを選択しよう

MacでPDFなどのファイルを選択してスペースキーを押し、クイックルックで表示したら、マークアップボタンをクリック。iPadの画面に同じ内容が表示されない時は、さらに注釈ボタンをクリックしよう。

2 iPadでPDFや画像に 指示を書き込む

すぐにiPadに表示される

iPadにMacで表示中のPDFや画像ファイルが表示され、Apple Pencilや指で注釈を書き込める。書き込んだ内容は、リアルタイムでMacBook側に反映される。

iPadで手書きメモを
作成してMacに取り込む

　P256の「連携マークアップ」と同様に、MacとiPadで同じApple IDを使ってサインインしており、両方のデバイスでWi-FiとBluetoothが有効になっていれば、Macで作成中のメモやメールにiPadで描いた手書きの図やイラストを挿入する「連携スケッチ」機能が使える。まずMacでメモやメールを開き、挿入したい場所にカーソルを合わせよう。続けて右クリックメニューから「iPhoneまたはiPadから読み込む」を選択し、iPadの「スケッチを追加」をクリック。するとiPad側でスケッチ画面が開いて、Apple Pencilや指で描画できる。

1 「スケッチを追加」を
クリックする

Macでメモやメールアプリなどを開き、図やイラストを挿入したい位置にカーソルを合わせる。右クリックメニューから「iPhoneまたはiPadから読み込む」を選択し、iPadの「スケッチを追加」をクリックしよう。

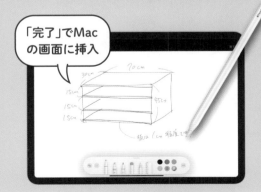

「完了」でMac
の画面に挿入

2 iPadで
スケッチを作成

iPadでスケッチウインドウが開くので、Apple Pencilや指でスケッチを描画しよう。描き終わったら、右上の「完了」をタップすると、Macのカーソル位置にこのイラストが挿入される。

Macとクリップボードを
共有する

　iPadとiPhoneの間でクリップボードを共有する「ユニバーサルクリップボード」機能（P188で解説）は、利用条件が揃っていればiPadとMacの間でも利用できる。MacとiPadで同じApple IDを使ってサインインし、両方のデバイスでWi-FiとBluetoothとHandoffを有効にしておけばよい。MacとiPadでコピーしたテキストや画像、ビデオが共有されるようになるので、Macで入力した長文テキストをコピーしてiPadのメール作成画面に貼り付けたり、iPadにしかない写真をコピーしてMacの書類に貼り付けるといったことができる。

1　iPadで写真を
　　コピーする

ユニバーサルクリップボードが使える状態になっているなら、iPadの写真をMacに貼り付けてみよう。まずiPadで写真を開いて、共有メニューから「写真をコピー」をタップ。

2　コピーした写真をMacの
　　Word書類に貼り付ける

今回はMacで作成したWordの書類にペーストしてみた。「"○○"からペースト中…」と表示され、少し待つとiPadでコピーした写真が貼り付けられる。

使いこなし
ヒント

MacとiPadでHandoffの有効を確認する

Macでは、Appleメニューから「システム環境設定」→「一般」→「このMacとiCloudデバイス間でのHandoffを許可」のチェックを確認。iPadでは、「設定」→「一般」→「AirPlayとHandoff」→「Handoff」のスイッチをオンにしておく。

メール管理
の仕事技

複数アカウントの送信済みメールをまとめて確認する

「すべての送信済み」を表示させておこう

取引先ごとにメールアドレスを使い分けている場合、「メール」アプリにすべてのアカウントを追加しておけば、いちいち各アカウントの受信トレイを開かなくても、「全受信」メールボックスでまとめて確認することができる。ただ、自分が送信したメールを確認しようとすると、それぞれのアカウントの「送信済み」トレイを開く必要があることに気付くだろう。これを「全受信」のように、すべてのアカウントの送信済みメールもまとめて確認したいなら、「すべての送信済み」メールボックスを追加表示しておけばよい。メールボックス一覧の「編集」ボタンから追加することができる。

「すべての送信済み」を追加表示する

メールボックス画面で右上の「編集」をタップし、「すべての送信済み」にチェックすれば、メールボックス一覧に表示されるようになる。

送信済みメールもまとめてチェックできるようになった

Gmailをメールの自動バックアップツールとして利用する

Gmailのアドレスは不要でも使う価値あり

　ビジネスマンこそ利用すべきメールサービスが「Gmail」だ。といっても、会社のメールアカウントを使わずにGmailに乗り換えようという話ではない。Gmailの「○○@gmail.com」アドレスでメールをやり取りするのではなく、会社メールのバックアップ先としてGmailを利用しよう、という提案だ。Gmailには、他のメールアドレスを設定して送受信できメールクライアントとしての機能もある。会社のメールアカウントをGmailに設定しておけば、Gmailでもメールが受信されていく。放っておけば受信メールがどんどんGmailに溜まるので、自動バックアップツールとして非常に有用なのだ。何らかのトラブルで会社の受信メールがすべて消えても、Gmailを開けば過去のすべての受信メールを確認できる。また、iPadやiPhoneを紛失した際も、Gmailにさえアクセスできれば会社のメールを送受信できるので、連絡が途絶えることもない。詳しい設定方法は、P262から解説する。

SafariでGmail（https://mail.google.com/）にアクセスし、歯車ボタンをタップ。「すべての設定を表示」→「アカウントとインポート」→「メールアカウントを追加する」から自宅や会社のメールアカウントを追加する。

自宅や会社の受信メールが、すべてGmailに保存されるようになる。自宅や会社のメールアカウントごとにラベルを付けておけば、すぐに目的のメールだけ一覧表示できて便利だ。

メールはすべて
Gmailを経由させる

会社の送信メールも含めてGmailに保存できる

　P261で解説したように、Gmailに会社のメールアカウントを設定しておけば、会社の受信メールをすべてバックアップしておける。ただ、Gmailに会社のメールを設定するメリットはそれだけではない。会社のメールの送信をGmailアプリやWeb版Gmailから行うことで、送信済みメールも自動的にGmailに溜まるようになるのだ。メールの作成時にアドレスを切り替えるか、デフォルトのメールアドレスを会社のメールアドレスに変更しておけば、相手にはきちんと会社のメールアドレスから送信されているように見える。このように、会社の送受信メールをGmail一本で管理することで、さらに大きなメリットも生まれる。同じGoogleアカウントでログインするだけで、iPadでもパソコンでもスマートフォンでも同じ状態のメールを確認できる上、会社の送受信メールにGmailの強力な検索機能を利用できる。さらに、ラベルによる整理を適用でき、迷惑メールもほとんど届かなくなる。最初の設定さえ済ませれば、あとは本当に簡単に管理できるようになるので、ぜひ活用しよう。

設定にはWeb版Gmailの操作が必要

1 | Web版Gmailの設定を開く

会社のメールアカウントを設定するには、Web版Gmail (https://mail.google.com/) にアクセスする必要がある。右上の歯車ボタンをタップし、表示されたメニューから「すべての設定を表示」をタップしよう。

2 | メールアカウントを追加するをタップ

続けて「アカウントとインポート」タブを開き、「メールアカウントを追加する」をタップしよう。新規タブで、メールアカウントを追加する画面が開く。

3 | 会社のメール アドレスを入力

メールアカウントの追加画面が開いたら、「メールア ドレス」欄に、Gmailで送受信したい会社のメール アドレスを入力し、「次へ」をタップする。

4 | 「他のアカウントから〜」 にチェックして次へ

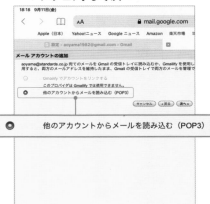

「他のアカウントから〜」にチェックして「次へ」。な お、追加するアドレスがYahoo、AOL、Outlook、 Hotmailなどであれば、Gmailify機能で簡単にリン クできる。

5 | 受信用のPOP3 サーバーを設定する

POP3サーバー名やユーザー名／パスワードを入 力して「アカウントを追加」。会社メールだけを素早 く表示できるように、「〜ラベルを付ける」にチェック しておくこと。

6 | 送信元アドレス として追加しておく

Gmail経由でこのアドレスから送信できるように、 「はい」にチェックしたまま「次へ」。後からでも設定 の「アカウントとインポート」→「他のメールアドレス を追加」で変更できる。

Gmailに会社のメールアカウントを設定する②

7 | 送信元アドレスの表示名を入力

「はい」を選択した場合、送信元アドレスとして使った場合の差出人名を入力できる。名前を入力したら「次のステップ」をタップ。

8 | 送信用のSMTPサーバーを設定する

追加した会社メールを差出人としてメールを送信する際に使う、SMTPサーバーの設定を入力して、「アカウントを追加」をタップする。

9 | 確認コードの入力欄が表示される

アカウントを認証するための確認メールが、追加した会社のメールアドレス宛てに送信され、確認コードの入力欄が表示される。

10 | 確認メールで認証を済ませて設定完了

ここまでの設定が問題なければ、確認メールはGmail宛てに届く。「確認コード」の数字を入力欄に入力するか、または「下記のリンクをクリックして〜」をタップすれば、認証が済み設定完了。

Gmailで会社のメールアドレスから送信する

1 | Gmailアプリで 新規メールを作成

Gmail
作者 Google LLC
価格 無料

タップ

Gmailアプリをインストールして、Googleアカウント
でログインしよう。新規メールを作成するには、右下
の「作成」ボタンをタップする。

2 | 送信元を会社の アドレスに変更

送信元: aoyama@standards.co.jp

タップ

「From」欄をタップすると、送信元アドレスをGmail
アドレスではなく、追加した会社のメールアドレスに
変更できる。あとは、通常通りメールを作成して送
信すれば、相手にはいつもの通り会社のメールアド
レスからメールが届く。そして、送信したメールは、
Gmailの送信済みメールラベルに溜まっていく。

会社メールをGmailの 標準アドレスにする

Gmailのアドレスを使わないなら、
Web版Gmailの歯車ボタンから
「すべての設定を表示」→「アカウン
トとインポート」を開き、追加した会
社のメールアドレスの「デフォルトに
設定」をタップしておこう。新規メー
ルを作成する際は、このアドレスが
標準で送信元アドレスとして選択
されるようになる。

タップ

デフォルトに設定

重要度の低いCcメールを フィルタ機能で表示させない

「宛先:自分」フィルタを常時オンにしよう

　仕事で大量に受信するCcメールに悩まされていないだろうか？　本当に共有すべき内容ならいいのだが、当事者同士で済む案件なのに、慣習的に上司や関係者全員をCcに含めて送る企業は多い。自分にあまり関係のないCcメールが頻繁に届くようでは、自分宛ての重要なメールが埋もれてしまって本末転倒だ。そこで、メールアプリのフィルタ機能を設定しておくことをおすすめする。受信トレイの左下にあるフィルタボタンをタップしてオンにし、適用中のフィルタを「宛先:自分」にしておこう。これで、宛先が自分のメールだけを表示し、受信トレイをスッキリ整理できる。なお、フィルタ機能はメールボックスごとに個別に設定でき、一度オンすれば、次回そのメールボックスを開いた時もオンの状態のままになる。

フィルタ機能の基本的な使い方

1 | フィルタボタンを タップしてオンにする

メールボックスの受信トレイを開いたら、左下の三本線ボタンをタップしよう。フィルタ機能がオンになる。

2 | もう一度タップで オフにできる

標準だと未開封のメールのみが表示される。三本線ボタンをもう一度タップすると、フィルタがオフになり通常の受信トレイに戻る。

1 適用中のフィルタ をタップ

受信トレイなどの左下にある三本線ボタンをタップ
し、フィルタをオンにしたら、「適用中のフィルタ」部
分をタップしよう。

2 「宛先:自分」に のみチェックする

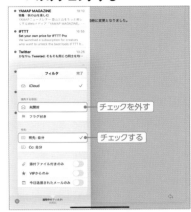

「宛先:自分」にチェックを入れる。また、標準だと
「未開封」にチェックされているので、タップして外し
たら「完了」をタップ。

3 宛先がCcのメール は表示されない

Ccで自分が含まれるメールは表示されず、宛先が
自分のメールのみ表示されるようになった。一度
フィルタをオンにしておけば、次回メールアプリを起
動したときもオンのままになっている。

使いこなし ヒント 今日送信された メールのみ表示する

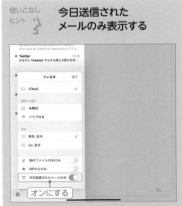

さらに受信トレイをスッキリさせたいなら、「今
日送信されたメールのみ」フィルタをオンにす
るのがおすすめ。今日届いたメールの確認・処
理は今日中に必ず済ませる、という意志を持っ
て仕事に取り組める。

読まないメールを振り分ける「VIP」機能の応用ワザ

社内報などは「VIP」に登録して通知させない

　メールアプリの「VIP」は本来、重要な相手からのメールだけ自動で振り分けるための機能だ。例えば、プライベートと仕事の両方で付き合いがある人を登録しておけば、プライベートと仕事用、どちらのメールアドレス宛てに連絡が来ても、「VIP」フォルダで横断的に確認できる。また、VIPフォルダにあまり読む必要がないメールを振り分けるという、通常とは逆の使い方も可能だ。というのも、VIPフォルダに届くメールは、個別に通知設定を変更しておける。このVIPの通知設定を利用して、毎朝の社内報や進捗状況の報告メールなど、頻繁に届いたり定時連絡されるメールをVIPに振り分けておき、通知をオフにしておこう。毎日届く煩わしい通知がなくなり、自分のタイミングでVIPフォルダを開いて確認できるようになる。

VIPに定時連絡メールなどを追加する

1 | メールボックスのVIPをタップする

メールボックス一覧を開き、「VIP」(一人でもVIPを追加済みなら右端にある「i」ボタン)をタップする。

2 | 「VIPを追加」で連絡先を追加する

社内報や進捗報告など、毎日届く定時連絡メールアドレスを追加しておこう。この連絡先からのメールは、自動的にVIPメールボックスに振り分けられる。

VIPメールの通知をオフにする

1 | VIPの「i」ボタンをタップする

VIPメールの通知を変更するには、まずメールボックス一覧で、「VIP」の右端にある「i」ボタンをタップする。

2 | 「VIP通知」をタップする

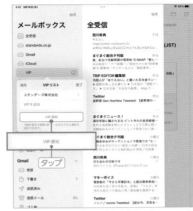

VIPに追加した連絡先一覧が表示されるので、続けて「VIP通知」をタップしよう。なお「編集」をタップすれば、VIPに追加した連絡先を削除できる。

3 | VIPメールの通知を設定

VIPメールだけの通知を設定できる。「通知」をオフにしておけば、この連絡先からのメールは通知されない。「バッジ」のみオンにしておけば、新着メールがあることはバッジで把握できる。

4 | VIPフォルダは今日のメールだけ表示

また、重要度の低いメールを振り分ける場所なので、今日届いた分は一度ざっと確認したらもう表示させない設定もおすすめ。VIPフォルダで「今日送信されたメールのみ」フィルタをオンにしておこう。

仕事の連絡先を効率的に
管理するテクニック

大量の連絡先データはパソコンで整理しよう

取引先や顧客の連絡先データをiPadで管理したい時、iPadでひとつひとつ入力していくのはあまり得策ではない。大量の連絡先を入力・管理するには、パソコンで操作した方が断然速いし楽だ。パソコンのWebブラウザでiCloud.com（https://www.icloud.com/）にアクセスして管理しよう。連絡先の新規作成や編集を行えるほか、iPadの連絡先アプリではできない、新規グループの作成やグループ分けも行える。また、連絡先を削除したい時も、iPadの連絡先アプリだとひとつずつ削除する必要があるが、パソコンだと複数の連絡先を一括削除できる。さらに、誤って削除した連絡先を復元したい時も、iCloud.comでの操作が必要だ。ただし、重複して表示される連絡先をまとめたい場合は、連絡先アプリでの操作になる。「連絡先をリンク」で重複した連絡先を選択しよう。

パソコンのWebブラウザで
iCloud.comにアクセス

パソコンのブラウザでiCloud.com（https://www.icloud.com/）にアクセスし、iPadと同じApple IDでサインイン。Apple IDの設定によっては、2ファクタ認証が必要となる。続けて「連絡先」をクリックしよう。

使いこなし
ヒント

Safariでも iCloud.comで
連絡先を編集できる

iPadのSafariでも、iCloud.comにアクセスすれば、パソコンのWebブラウザと同様の画面で連絡先を表示できる。削除した連絡先の復元も可能だ。縦画面ではグループが表示されないので、横画面にしよう。ただiPad単体だと、連絡先の複数選択やドラッグ＆ドロップ操作は行えないので、連絡先の編集以外にグループの新規作成くらいしか利用できない。iPadに外部キーボードとマウスを接続すれば、ShiftやCommandキーで複数の連絡先を選択して、まとめて削除したりグループに振り分けることができる。

1 | 新規連絡先や グループを作成する

iCloud.comで連絡先画面を開いたら、左下の「+」ボタンをクリック。「新規連絡先」で新しい連絡先の作成画面が開くので、名前や住所を入力していこう。また「新規グループ」でグループも作成できる。

2 | 既存の連絡先を 編集する

連絡先一覧の名前をクリックすると、右欄に連絡先の詳細が表示される。上部の「編集」ボタンをクリックすれば、この連絡先の編集が可能だ。相手の住所や電話番号が変わったら、変更を加えておこう。

3 | 複数の連絡先を まとめて削除する

ShiftやCtrl（Macではcommand）キーを使って連絡先を複数選択し、左下の歯車ボタンから「削除」をクリックすれば、選択した連絡先をまとめて削除することができる。

4 | 複数の連絡先を グループに振り分ける

ShiftやCtrl（Macではcommand）キーを使って連絡先を複数選択し、そのまま左のグループ欄にドラッグすれば、選択した連絡先をまとめてグループに振り分けることができる。

誤って削除した連絡先を復元する手順

1 | iCloud.comで「アカウント設定」をタップ

SafariまたはパソコンのウェブブラウザでiCloud.com（https://www.icloud.com/）にアクセスし、Apple IDでサインインを済ませたら、「アカウント設定」をタップしよう。

2 | 「連絡先の復元」をタップする

iCloudの設定画面が開く。下部の「詳細設定」欄に、「連絡先の復元」という項目があるので、これをタップしよう。なお、カレンダーやブックマークなども、この画面から復元することが可能だ。

3 | 「復元」ボタンをタップする

「連絡先の復元」画面が開き、過去にバックアップされた連絡先データが一覧表示される。復元したい日時の連絡先を選択して、「復元」ボタンをタップしよう。

4 | さらに「復元」をタップで復元される

「連絡先を復元しますか？」と警告ダイアログが表示されるので、「復元」をタップして復元を開始。しばらく待つと、バックアップ時点の連絡先への復元が完了する。復元された連絡先は、連絡先アプリにも反映されているはずだ。

重複した連絡先を一つにまとめる

1 │ 「連絡先をリンク」を タップする

連絡先アプリで、重複している連絡先の一方を表示したら、右上の「編集」ボタンをタップ。続けて、下の方にある「連絡先をリンク」をタップする。

2 │ 重複したもう一方の 連絡先を選択

連絡先一覧が表示されるので、重複しているもう一方の連絡先を選んで、タップしよう。

3 │ 「リンク」をタップ して連絡先を結合

右上の「リンク」をタップすれば、2つの連絡先データが、一つの連絡先としてまとめて表示されるようになる。

4 │ リンクした連絡先 を解除する

連絡先のリンクを解除したい場合は、リンクした連絡先の「編集」をタップし、「リンク済み連絡先」の一方の「ー」→「リンク解除」をタップすればよい。

Gmailの演算子で必要な
メールを素早く探し出す

複数の演算子を組み合わせて効率的に絞り込もう

　　P262で解説したように、会社のメールをすべてGmailを経由して送受信することで利用できるようになるのが、Gmailの強力な検索機能だ。単純にキーワード検索するだけでも便利だが、キーワードだけだと送信者や受信者、件名、本文などすべてを対象にして検索してしまう。これでは、関係のないメールも大量にヒットしてしまって見つけづらい。メールをよりピンポイントで探し出したいなら、「検索演算子」と呼ばれるGmailの検索コマンドを覚えておこう。Gmailで利用できる演算子は数多いが、送信者や件名を指定したり、検索期間を指定するなど、主要なものを覚えておけば日常的な検索には困らない。また、演算子は複数を組み合わせて利用できるので、例えば「青山さんから送られてきた、件名に"打ち合わせ"を含むメールを、2018/01/01から2018/12/31の間で」検索するといったことも可能だ。

Gmailで利用できる主な演算子

from:	送信者を指定
to:	受信者を指定
cc:	Ccの受信者を指定
bcc:	Bccの受信者を指定
subject:	件名に含まれる単語を指定
-(ハイフン)	検索結果から除外するキーワードの指定
OR	A OR Bでいずれか一方に一致するメールを検索
"　"(引用符)	引用符内のフレーズと完全に一致するメールを検索
after:	指定日以降に送受信したメールを検索
before:	指定日以前に送受信したメールを検索
label:	指定したラベルのメールを検索
is:starred	スター付きのメールを検索
is:unread	未読のメールを検索
is:read	既読のメールを検索
in:anywhere	迷惑メールやゴミ箱にあるメールを含むすべてのメールから検索
has:attachment	ファイルが添付されたメールを検索
filename:	pdfやtxtなど指定した名前や形式の添付ファイルがあるメールを検索

Gmailの検索方法と演算子を使用した検索例

1 | Gmailアプリの検索欄をタップ

Gmail
作者 Google LLC
価格 無料

Gmailアプリを起動すると、上部にキーワード検索欄が表示されている。この検索欄をタップしよう。

2 | 演算子を使ってメールを検索する

下記の例のように、複数の演算子を組み合わせてキーワード検索してみよう。目的のメールをピンポイントで素早く探し出せる。

---

from:aoyama

送信者のメールアドレスまたは送信者名に「aoyama」が含まれるメールを検索。大文字と小文字は区別されない。

from:青山 subject:会議

送信者名が「青山」で、件名に「会議」が含まれるメールを検索。送信者名は漢字やひらがなでも指定できる。

from:青山 "会議の資料"

送信者名が「青山」で、件名や本文に「会議の資料」を含むメールを検索。英語の場合、大文字と小文字は区別されない。

from:青山 OR from:西川

送信者が「青山」または「西川」のメッセージを検索。「OR」は大文字で入力する必要があるので要注意。

after:2018/06/20

2018年6月20日以降に送受信したメールを指定。「before:」と組み合わせれば、指定した日付間のメールを検索できる。

filename:pdf

PDFファイルが添付されたメールを検索。本文中にPDFファイルへのリンクが記載されているメールも対象となる。

仕事で使いこなすための
メールアプリ便利ワザ

意外と多機能なメールアプリを使いこなそう

　iPadの標準メールアプリがシンプルすぎて物足りないという人は、まだまだ使い
こなせていないだけかもしれない。メールアプリは意外と機能が豊富で、より手軽
に操作するためのさまざまな手段も用意されているのだ。ここでは、複数メールをま
とめて操作したり、メールを素早く作成するためのテクニック、覚えておくと仕事が
はかどる便利な小技など、あまり知られていないメールアプリの便利ワザを紹介し
ていく。普通にメールを送受信しているだけでは気付くにくい、これらの機能を活
用して、仕事メールを効率的に処理しよう。

大量の未読メールをまとめて開封済みにする

1 | すべてのメールを選択する

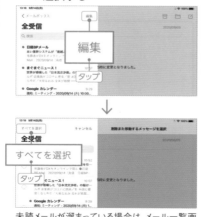

未読メールが溜まっている場合は、メール一覧画
面の上部にある「編集」→「すべてを選択」をタップ
しよう。すべてのメールが選択状態になる。

2 | 「開封済みにする」でまとめて開封

この状態で、メール一覧画面の下部にある「マー
ク」→「開封済みにする」をタップすると、すべての
未読メールをまとめて開封済みにできる。

アカウントごとに通知を設定する

1 | 通知をカスタマイズ をタップ

複数のメールアカウントを追加している時は、それぞれのアカウントに届くメールに対し、個別に通知設定が可能だ。「設定」→「通知」→「メール」→「通知をカスタマイズ」でアカウントを選択しよう。

2 | アカウントごとに 通知方法を設定

個別に通知設定を施す。メールの送り主ごとに通知方法を変更したい場合はVIPの通知設定（P268で解説）を利用しよう

アカウントごとに、通知の有無とサウンドの指定、バッジ表示の有無を変更できる。重要な仕事用アカウントはすべてオンにしておき、個人メールはバッジのみにしておくなどして使い分けよう。

複数のメールを2本指で素早く選択する

1 | 2本指でスワイプして 複数メールを選択

2本指でスワイプ

複数のメールを選択する時は、メールをいちいち個別にタップしなくても、2本指で上下にスワイプするだけで素早く選択状態にできる。

2 | 一つ飛ばして選択 し続けることも可能

一つ飛ばして2本指でスワイプ

選択せずに残したいメールがあれば一度指を離し、一つ飛ばして次のメールから2本指で下にスワイプしていけばよい。

下書きメールを素早く呼び出す

1 | 新規作成ボタンをロングタップ

以前下書き保存したメールを呼び出すには、いちいち「下書き」トレイを開く必要はない。新規メール作成ボタンをロングタップしてみよう。

2 | 下書きを選んで再編集する

保存済みの下書きメールが一覧表示される。タップすればメールの作成画面が開いて、続きを作成できる。左にスワイプすれば下書きを破棄できる。

会社の送信メールをBccで自分宛てに送りiPadで確認する

1 | 会社からのメールをBccで自分宛てに送信

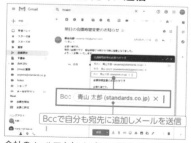

会社のメールアカウントがPOP形式だと、送信メールは送信した端末にしか保存されない。このため、会社のパソコンから送ったメールを、自宅のiPadのメールアプリで確認するといったことはできない。これを確認できるようにするには、Bccで自分宛てにもメールを送っておこう。

2 | 自宅のiPadでも会社の送信メールを読める

このように、会社のパソコンから送信したメールが受信トレイに届くので、送信済みメールの内容を、送信した端末以外のさまざまな端末で確認できるようになる。

メール本文の一部を引用して返信する

1 | 引用したい箇所を選択状態にする

メールの全文ではなく、必要な部分だけ引用して返信メールを作成したい場合は、まず引用したい部分をロングタップして選択状態にしよう。

2 | 一部だけ引用された状態で返信できる

返信ボタンをタップすると、選択した部分のみが引用された状態で、返信メールを作成できる。全文引用が長くなりすぎる場合に便利だ。

メールを削除する前に確認する

1 | 「削除前に確認」をオンにする

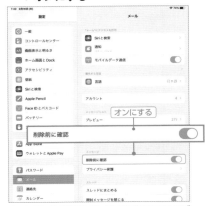

メールをうっかり削除してしまうのを防ぐために、まず「設定」→「メール」にある「削除前に確認」のスイッチをオンにしておこう。

2 | 削除前にメッセージが表示される

メールの表示画面でゴミ箱ボタンをタップすると、本当に削除するか確認メッセージが表示されるようになる。

標準メールアプリの
検索機能を使いこなそう

目当てのメールを素早く探し出す

　標準メールアプリのメール一覧画面を下にスワイプすると、上部に検索欄が表示される。ここでキーワードを入力すると、アドレスや件名、本文から検索できる。複数アカウントを追加している時は、「すべてのメールボックス」タブでまとめて横断検索することも可能だ。キーワードを複数入力すると全文検索してしまうので、人名や件名、日付などのカテゴリを指定したり、フラグ付きやVIP、未開封、添付ファイル付きなどメールの属性を指定して、一度検索を確定させてから、さらに他のキーワードを追加して絞り込もう。「青山さんから2021年7月に届いた、打ち合わせを含むメール」などをピンポイントに探し出せる。

1 | メールの検索欄で人名や件名を検索

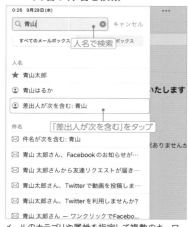

メールのカテゴリや属性を指定して複数のキーワードを追加していくと、目的のメールを絞り込みやすい。例えば「青山」と入力して、人名欄の「差出人が次を含む:青山」を選択しよう。

2 | 複数キーワードを追加して絞り込む

続けて検索欄に「7月」と入力し、日付欄の「2021年7月」をタップ。さらに「打ち合わせ」などキーワードを追加して検索すると、青山さんから2021年7月に届いた、「打ち合わせ」という文字を含むメールが抽出される。

その他

の仕事技

iPadでビデオ会議に参加する

ZOOMを使ってオンライン会議を行ってみよう

テレワークが急速に普及してきた昨今、「ZOOM Cloud Meetings（以下、ZOOM）」を使ったビデオ会議が一般化してきた。ZOOMは、パソコンだけでなく、スマホやタブレットなどの端末に対応しており、もちろんiPadでも利用が可能だ。ここでは、ZOOMでミーティングを開始する方法やミーティングに参加する方法など、基本的な操作を紹介しておこう。なお、無料ライセンスで3人以上のグループミーティングをホストする場合、40分までの制限時間がある（1対1の場合は無制限）。頻繁に使うなら月額2,000円～の有料プランを契約しておくといい。

ホスト側でミーティングを今すぐ開始する

1 「新規ミーティング」をタップする

ZOOM Cloud Meetings
作者 Zoom
価格 無料

今すぐミーティングを開始する場合は「新規ミーティング」

日時を決めてミーティングをする場合は「スケジュール」

ZOOMでアカウントにサインインすると、上の画面が表示される。今すぐミーティングを主催したい場合は、「新規ミーティング」をタップしよう。なお、日時を決める場合は「スケジュール」から設定できる。

2 今すぐミーティングを開始する

タップ

「新規ミーティング」の場合、設定画面が表示されるので「ミーティングの開始」をタップ。すると、自分がホスト役となってミーティングが開始される。なお、ミーティングはいつでも終了可能だ。

ホスト側で他のユーザーを招待する

1 | 招待リンクをコピーして 他のユーザーに送る

招待リンクを他のユーザーに共有する

他のユーザーをミーティングに招待する場合は、「連絡先」→「招待」→「招待リンクをコピー」をタップ。招待リンクのURLがコピーされるので、メールやメッセンジャーなどで参加者に伝えよう。

2 | 参加してきたユーザーを 許可する方法

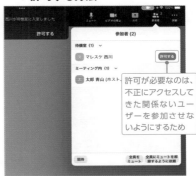

許可が必要なのは、不正にアクセスしてきた関係ないユーザーを参加させないようにするため

ミーティングの設定によっては、他のユーザーが参加した場合、ホスト側が許可する必要がある。許可を行うには、「連絡先」から許可したいユーザーの「許可する」をタップしよう。

ミーティングに参加する

1 | ホストから送られてきた URLをタップする

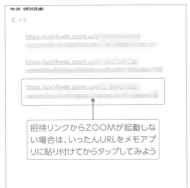

招待リンクからZOOMが起動しない場合は、いったんURLをメモアプリに貼り付けてからタップしてみよう

ホストから送られてきた招待リンクのURLをタップすると、ZOOMが起動する。もし、ZOOMが起動しない場合は、URLをコピーしてメモアプリなどに貼り付けてから再度タップしてみよう。

2 | 設定を行って ミーティングに参加する

タップ

ビデオ付きで参加する場合は、プレビューを確認して「ビデオ付きで参加」をタップ。さらに「WiFiまたは携帯のデータ」をタップすれば、音声と動画付きでミーティングに参加できる。

テキストやファイルを別の
アプリへドラッグ&ドロップ

ロングタップでさまざまなデータをドラッグできる

iPadでは、画像やPDFといったファイルだけでなく、アプリ内のテキストや表などのデータも、ドラッグ&ドロップで操作できるようになっている。ドラッグ操作が可能なアイテムは、選択した状態でロングタップすると少し浮かび上がって表示される。この指を離さずに、別の指で画面を上にスワイプするかホームボタンを押してホーム画面に戻り、他のアプリを起動しよう。あとは、他のアプリの貼り付けたい位置に、ロングタップで浮かび上がったファイルやテキストをドラッグして指を離せばペーストできる。Split ViewやSlide Overで画面を分割して、ドラッグ&ドロップで別のアプリに受け渡すことも可能だ。これを利用すれば、Safariで調べたテキストや画像をノートアプリに貼り付けてまとめたり、集計データの一部をメールに貼り付けて送るといった作業もすばやく行える。標準アプリ以外にも多くのアプリでも使えるテクニックなので、覚えておこう。

1 テキストやファイルを ロングタップ

コピーしたい内容を選択
してロングタップする

選択状態にしたテキストやファイルは、ロングタップすると浮いた状態になってドラッグできる。ファイルは浮いた状態になったら少し動かし、別の指で他のファイルをタップすると複数選択が可能だ。

2 別の指でホーム画面に 戻って他のアプリを起動

ロングタップした指は残し
たまま、別の指で操作する

ロングタップした指は残したまま、別の指で画面を上にスワイプするかホームボタンを押すと、ホーム画面に戻る。あとは他のアプリを起動して指を離せば、ドラッグしたテキストやファイルを貼り付けできる。

Siriへの問いかけや返答を
文字で表示して確認
話した内容がテキストで残って分かりやすい

　Siriに頼んだ内容が正しく認識されているか確認したい時や、うまく伝わらず間違った結果が表示される場合は、「設定」→「Siriと検索」→「Siriの応答」で、「話した内容を常に表示」のスイッチをオンにしよう。自分が話した内容がテキストで表示されるようになり、自分の質問のテキストをタップすることで正しい質問に書き直すこともできる。また、「Siriキャプションを常に表示」をオンにしておくと、Siriが話した内容がテキストで表示されるので、Siriの音声読み上げがオフの状態でもテキストでSiriの返答を確認できる。なお、Siriの音声読み上げをオフにするには、コントロールセンターのベルボタンをタップしてiPadを消音モードにした上で、「Siriの応答」→「消音モードがオフのとき」にチェックしよう。

1 | Siri応答の設定を変更する

「設定」→「Siriと検索」→「Siriの応答」で、「Siriキャプションを常に表示」と「話した内容を常に表示」をオンにしておく。

2 | 話した内容がテキスト表示される

自分が問いかけた内容やSiriの返答が表示される

自分が話したテキストをタップすると正しい質問に修正できる

自分がSiriに話した内容やSiriの返答（Siriキャプション）がテキストで表示される。また、自分の質問のテキストをタップして、誤認識を修正することもできる。

仕事用iPadに最適な
モバイル通信プランは

楽天モバイルなら使わない月は無料で運用できる

セルラーモデルのiPadであれば、SIMカードをセットして外出先でも自由にモバイルデータ通信を利用できる。もちろん通信プランの契約が必要だ。すでにiPhoneやスマートフォンで、ドコモやau、ソフトバンクの通信プランを契約しており、iPadを2台目のデバイスとして持つなら、データシェアプランで契約するのが手軽。価格は月々1,000円前後とお得で、親回線で契約中のデータ通信を使うため通信速度も速い。iPadであまりデータ通信を使わない月があるなら、もっとお得な通信プランを選んで維持費を安く抑えよう。特におすすめなのが、楽天モバイルの「Rakuten UN-LIMIT VI」プランだ。データ通信は1GBまで無料で使えるので、iPadでほとんど通信しない月は0円で運用できる。またデータ通信を使った月でも、段階的に料金が上がるので無駄がないし、どれだけ使っても3,278円／月までと料金の上限が設定されている点もありがたい。なお、ドコモやau、ソフトバンクで購入したキャリア版iPadで楽天モバイルの回線を使うには、あらかじめSIMロックを解除しておく必要がある。Appleストアなどで購入したSIMフリー版iPadならSIMロック解除は不要だ。

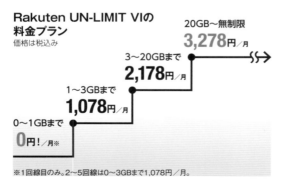

Rakuten UN-LIMIT VIの料金プラン
価格は税込み

0〜1GBまで
0円！／月※

1〜3GBまで
1,078円／月

3〜20GBまで
2,178円／月

20GB〜無制限
3,278円／月

※1回線目のみ。2〜5回線は0〜3GBまで1,078円／月。

楽天モバイルの「Rakuten UN-LIMIT VI」は、月々のデータ量が1GBまでは無料で利用でき、3GBまで1,078円、20GBまで2,178円、20GB以上は3,278円の段階制プランとなっている。iPadであまりデータ通信しない月は0円で維持でき、使いすぎた月でも最大3,278円で収まるので、いざという時だけiPadでモバイル通信を使いたいならピッタリのプランだ。なお、2回線目以降の契約は無料で使えず、0GB〜3GBまで1,078円／月となる。

eSIMでモバイル通信を契約して即座に利用する

eKYCで本人確認すれば即日開通も可能

　セルラーモデルのiPadで比較的最近の機種であれば、本体側面のSIMスロットを使うほかに、本体内部のチップにもSIMの情報を書き込める。この機能を「eSIM」と言う。eSIMは物理的なSIMカードが必要ないため、契約したらすぐに利用できるのが強みだ。またSIMカードとeSIMを同時に使ってデュアルSIM化できるので、例えば国内で使うSIMと海外で使うSIMを2つ契約しておき、国内と海外でSIMを切り替えて通信するといったことも可能。eSIMで契約するには、eSIMに対応した通信が必要だが、P286で解説した楽天モバイルの「Rakuten UN-LIMIT VI」であれば、eSIMで契約してiPadで利用できる。ただし、申し込み時の本人確認で「AIかんたん本人確認（eKYC）」を選択し、iPhoneやスマートフォンで本人確認書類や自分の顔を撮影してから申し込まないと、即日開通ができない。他の本人確認方法だと、書類で届くQRコードを読み取ってから手続きを進めることになる。またMNPで他社から移行手続きを行う場合は、受付時間が21:01〜翌8:59だと、翌9:00以降にならないと開通が完了しない。さらに、開通手続きにはネット回線も必要だ。あらかじめWi-FiなどでiPadをネット接続し、my楽天モバイルアプリでログインしてeSIMの開通を進めよう。

eSIMに対応するiPad

- 12.9インチiPad Pro（第3世代以降）
- 11インチiPad Pro
- iPad Air（第3世代以降）
- iPad（第7世代以降）
- iPad mini（第5世代以降）

楽天モバイルなら、eSIMで契約してiPadで利用できる。申し込み時にSIMタイプの選択画面で「eSIM」を選択して手続きを進めよう。本人確認はeKYCで行わないと、即日開通できないので注意しよう。

iPad
はかどる!
仕事技
2022

2021年10月31日発行

Writer
西川希典　狩野文孝

Designer
高橋コウイチ（WF）

DTP
越智健夫

編集人
清水義博

発行人
佐藤孔建

発行・発売所
スタンダーズ株式会社 ——————————— https://www.standards.co.jp/
〒160-0008 東京都新宿区
四谷三栄町12-4 竹田ビル3F
TEL 03-6380-6132

印刷所
株式会社シナノ

本書の記事内容に関するお電話でのご質問は一切受け付けておりません。編集部へのご質問は、書名および該当箇所、内容を詳しくお書き添えの上、下記アドレスまでメールでお問い合わせください。内容によってはお答えできないものや、お返事に時間がかかってしまう場合もあります。

info@standards.co.jp

ご注文FAX番号 03-6380-6136